SCRAP

GIN
NAZO

まえがき

この本は、SCRAPの「エニグマくんLINE」で、エニグマくんが出したたくさんの「宿題」を集めたものです。

暗号の世界の王子さまであるエニグマくんは、宿題がいつも「**謎**」です。

えらい人になるには、謎解き力が必要とパパに言われているので、エニグマくんはLINEでみんなの力を借りながら、毎回宿題を解いているのです。

この宿題の謎には、簡単なものから難しいものまでさまざまな種類があり、1つ1つはまさに「いぶし銀」のように深みがあります。

また、LINEで出題された謎だけではなく、この本のために作られた新作もありますし、全部解いたら挑戦できる「最終問題」に挑むこともできます。

1人で解いても、みんなでわいわい言いながら解いても楽しいと思います。

エニグマくんと一緒に、楽しく謎のお勉強をしていきましょう！

エニグマくん

SCRAPのオリジナルキャラクター。めんどくさがりで少し頼りない「暗号王国」のぼんやり王子。しかし見た目や雰囲気がかわいいので国民たちに愛されている。暗号は解くのも作るのも苦手で、解き明かしたと思えばだいたいカンニングか家来の助けによるもの。好きなものはマンゴー、嫌いなものは暗号。

この本の遊び方

この本の問題は、どこからでも解くことができます。
ただし最終問題（P.128）は、すべての問題を解いてから
チャレンジしてください。

必要なもの

筆記用具
書いたり消したり
できるものがおすすめ。

スマホ・ハサミ・のり
最終問題（P.128）を
解くときのみ必要です。

ページの見方

難易度 5段階で記しています。

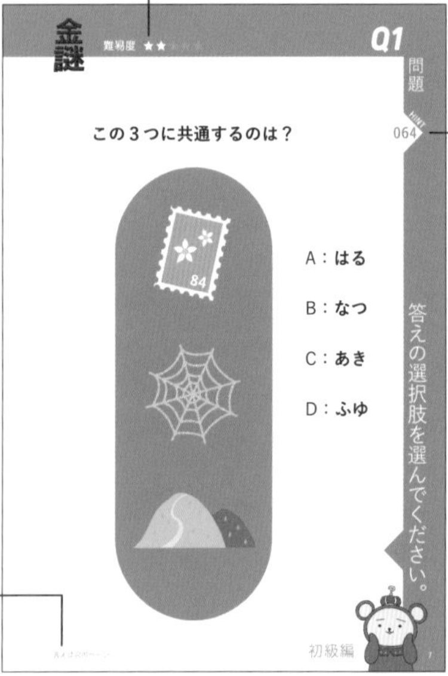

金謎 難易度 ★★ Q1 問題

この３つに共通するのは？

A：はる
B：なつ
C：あき
D：ふゆ

HINT 064

答えの選択肢を選んでください。

初級編

ヒント
ヒント編（P.115〜）の該当する数字に、そのヒントが書かれています。どうしても解けない場合に参照してください。

答え
次のページに記しています。

分からなかったらすぐに答えを見ないで、
ヒントを参照しつつ考えるとより楽しめます。

銀謎
初級編

まずは比較的解きやすい問題から紹介しましょう。
ひらめかなくてもすぐにはヒントを見ないで、
じっくり考えると、分かった瞬間、
格別な喜びを得られます！

この３つに共通するのは？

A：はる

B：なつ

C：あき

D：ふゆ

答えの選択肢を選んでください。

答えは次のページ

A1

解説

切手、くもの巣、山、すべてに「はる」という動詞を共通してつけることができる。従って答えは「A：はる」。

きってをはる

くものすをはる

やまをはる

答え

A：はる

Q2

HINT 067

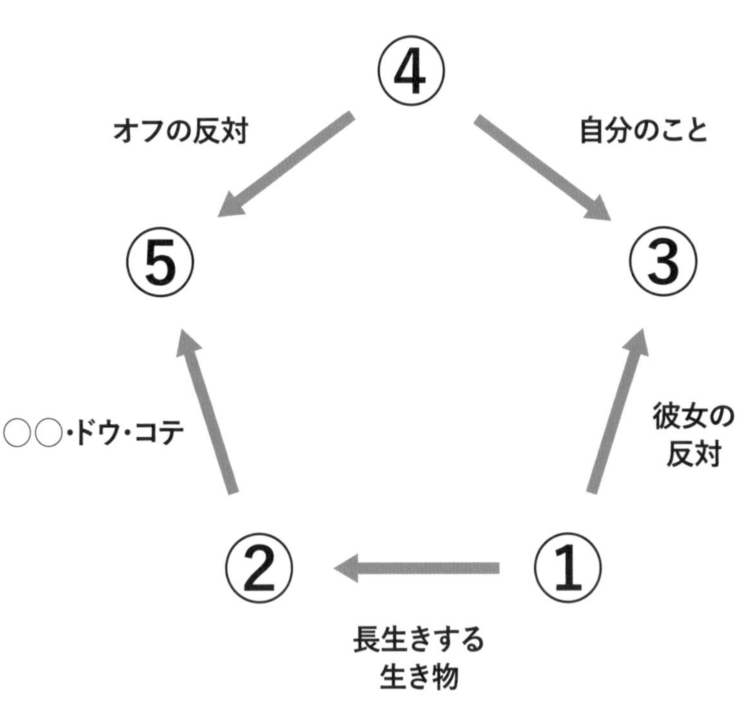

答えの言葉は？

答えは次のページ

A2

解説

それぞれの答えは「オレ」「カレ」「カメ」「メン」「オン」なので、①〜⑤に入る文字は図の通りとなり、つなげると「カメレオン」となる。

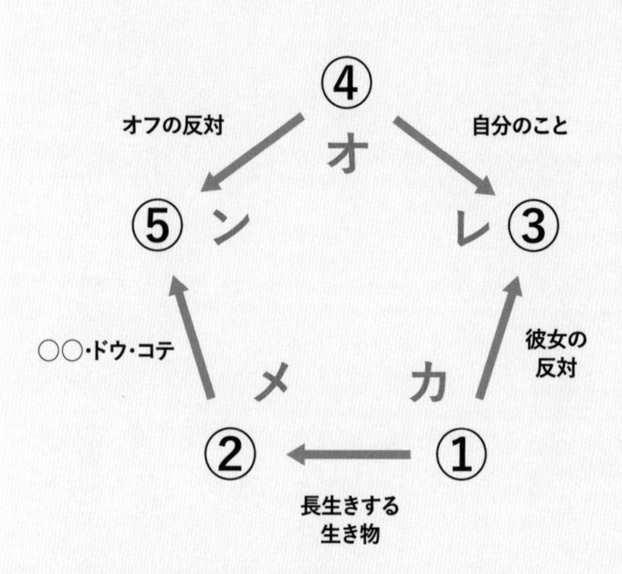

答え

カメレオン

難易度 ★☆☆☆☆

Q3

問題

HINT 006

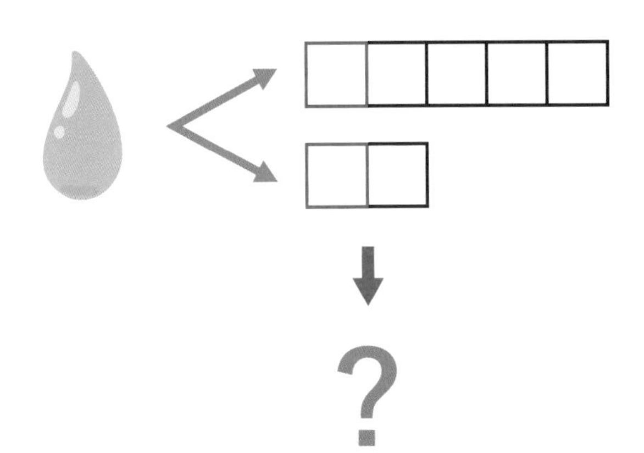

「?」に入るイラストの言葉は?

答えは次のページ

A3

解説

空欄には、絵の英語読みと日本語読みが入る。それぞれの読み方の頭文字を拾うと下の絵になっているので、「？」の中身は「うみ」となる。

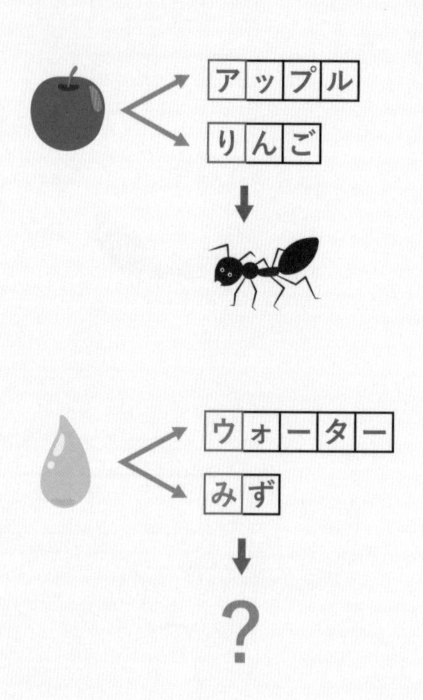

答え

うみ
（海）

Q4

問題

HINT 016

ひ → つき → ①②

うめ → たけ → ③④

①②③④ ＝ ？

「？」に入る言葉は？

答えは次のページ

A4

解説

上の段は時間の単位、下の段は松竹梅、という法則に従って言葉が入る。最後に来るのは「ねん」と「まつ」なので、それを並べた「ねんまつ」が答え。

日　月　年

ひ → つき → ①②

梅　竹　松

うめ → たけ → ③④

ねんまつ

①②③④ = ?

答え

ねんまつ

HINT 029

「？」に入る言葉は？

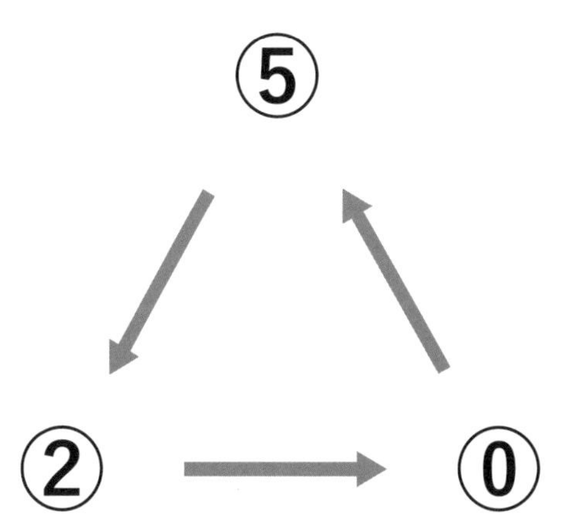

のとき

⑤ ＝ ？

答えは次のページ

A5

解説

左の数字は、じゃんけんで出す指の本数を表している。0＝グー＝石＝Rockということから、5＝パー＝紙＝Paper。

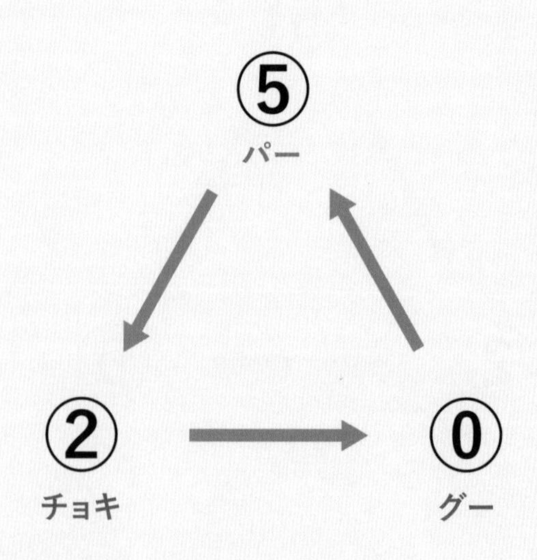

答え

Paper

難易度 ★★☆☆☆

Q6

問題

HINT 037

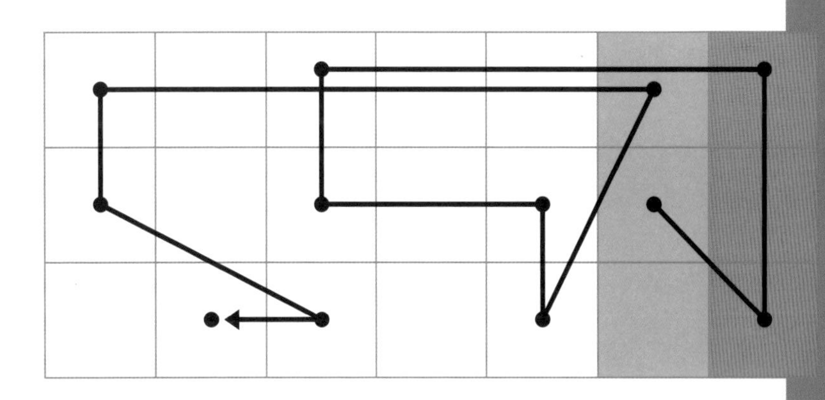

答えの言葉は?

答えは次のページ

A6

解説

図は曜日の表を表しており、左から縦にMON、TUE、WED……と英語の略語が入る。点の箇所を矢印の通りに読むと、「ANSWER IS MODE」となる。

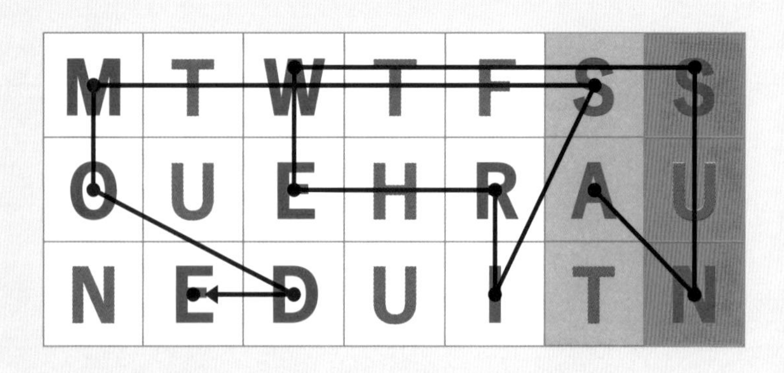

ANSWER IS MODE

答え

MODE（モード）

□ = ①③○○

□ = ②゛○○

答え＝①②③゛

答えの言葉は？

答えは次のページ

A7

解説

イラストは映画で外国人が話している様子。つまり赤枠の部分は「吹き替え」、青枠は「字幕」を表しているので、数字順に文字を拾い、答えは「ふしぎ」。

ふきかえ
□ = ①③○○

じまく
□ = ②゛○○

ふしぎ
答え = ①②③゛

答え

ふしぎ
(不思議)

難易度 ★★☆☆☆

Q8

HINT 099

正しくないものを読め。

無理難題
国際犯罪

答えの言葉は？

答えは次のページ

A8

解説

8つの漢字をよく見ると、「無」と「罪」だけが間違った漢字になっている。答えは、2つをつなげて読んで「無罪」。

正しくないものを読め。

無理難題
国際犯罪

答え

無罪

問題

HINT 104

1

?

答えの言葉は?

答えは次のページ

A9

解説

火のイラストから、赤矢印を通るマスには「FIRE」が入ることが分かる。そこから上下に「FIRST」と「ONE」が入ることに気づけば、答えは「STONE」と分かる。

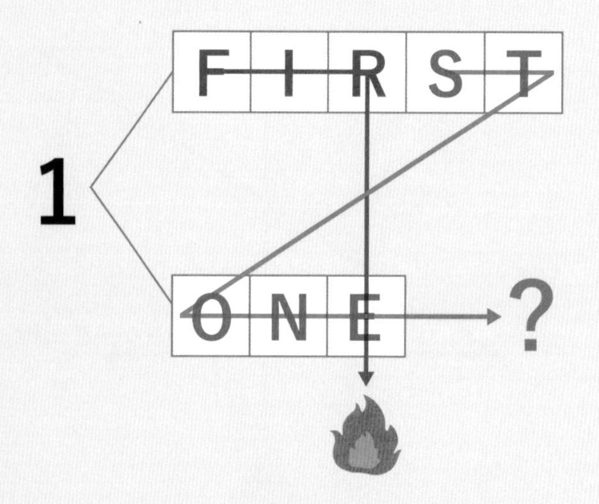

答え

STONE

HINT 048

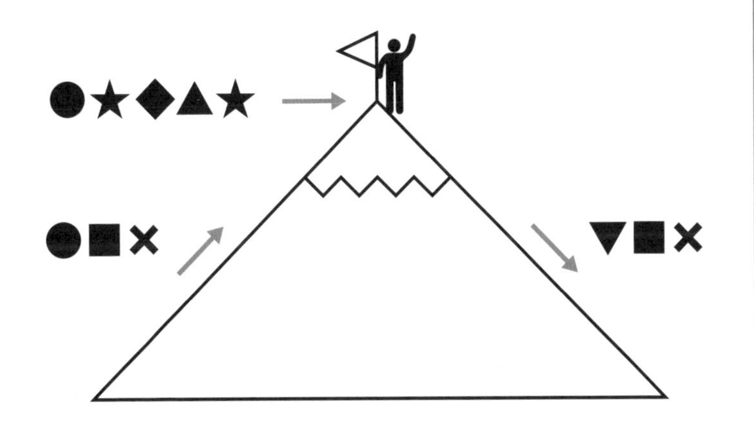

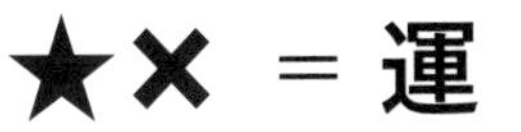

のとき

●▼ = ?

「?」に入る言葉は?

答えは次のページ

A10

解説

それぞれの記号には、山登りに関する言葉が入る。記号に文字を当てはめると、答えは「とげ」となる。

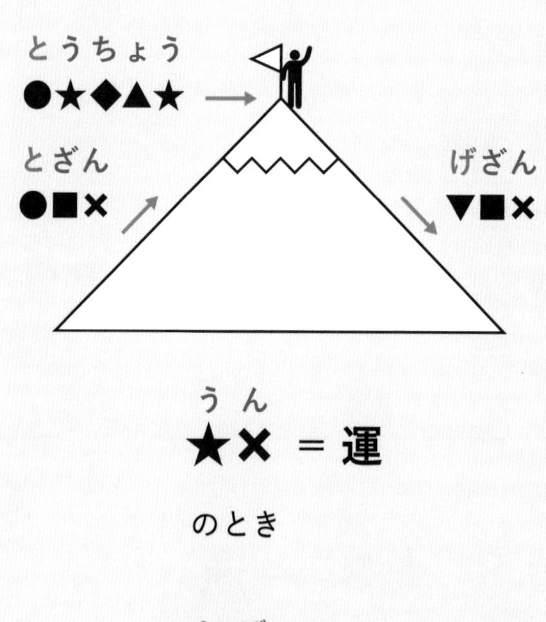

うん
★× ＝ 運

のとき

と げ
●▼ ＝ ？

答え

とげ

難易度 ★★☆☆☆

Q11

HINT 013

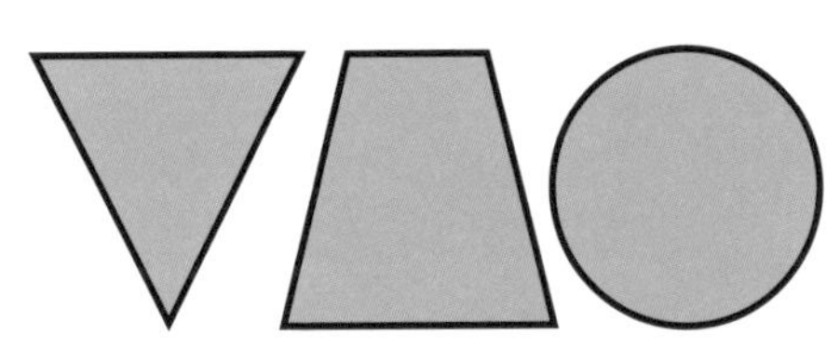
がブルーのとき、

は何色？

答えの言葉は？

答えは次のページ

A11

解説

三角形、台形、丸をそれぞれ「ブ」「ル」「ー」として、台形の左半分（ルの左半分）を移動させると、「グ」「レ」「ー」の形になる。

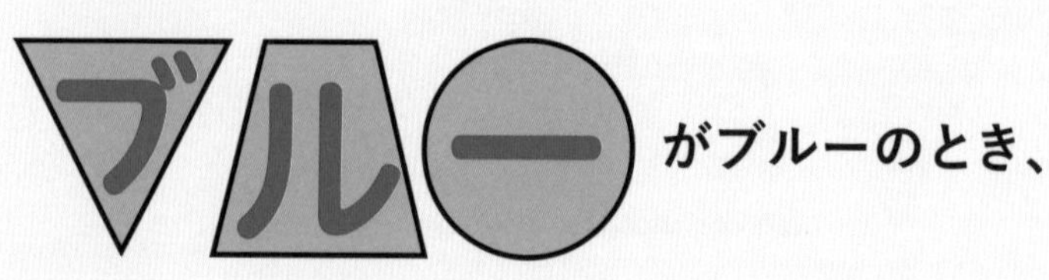

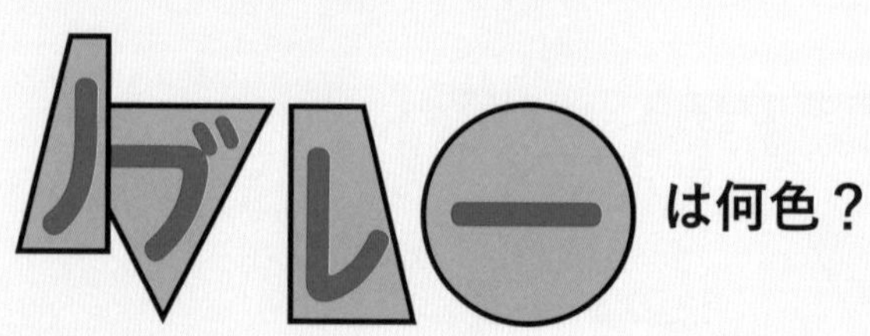

答え

グレー（灰色）

Q12

HINT 121

←←ま← …… 暖かい場所

→ず→ …… 海で着る服

あ↓↓ が表す言葉は何？

答えは次のページ

A12

解説

矢印の向きを文字にして埋めると、「←←ま←=ひだまり」「→ず→=みずぎ」となる。その法則に従って「あ↓↓」を埋めると、答えは「あした」。

ひ　だ　　　り
←←ま←……暖かい場所

み　　　ぎ
→ず→……海で着る服

し　た
あ↓↓が表す言葉は何？

答え

あした
（明日）

Q13

この例のように線を結び、
通らない文字を上から読め。

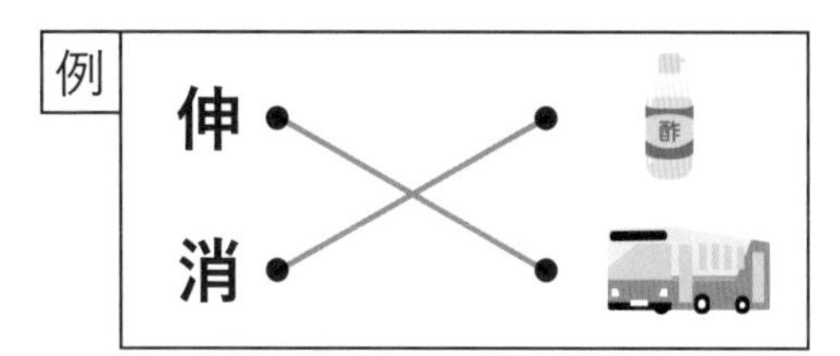

食・　ゆ　とう　・

浴・　ご　し　え　ん　・

刺・　ん　ち　く　・

答えの言葉は?

答えは次のページ

A13

解説

右のイラストは、左の漢字の送りがなを表している（「伸＋ばす」で「伸ばす」など）。線を結んで残った文字を読むと、答えは「ゆうえんちち」。

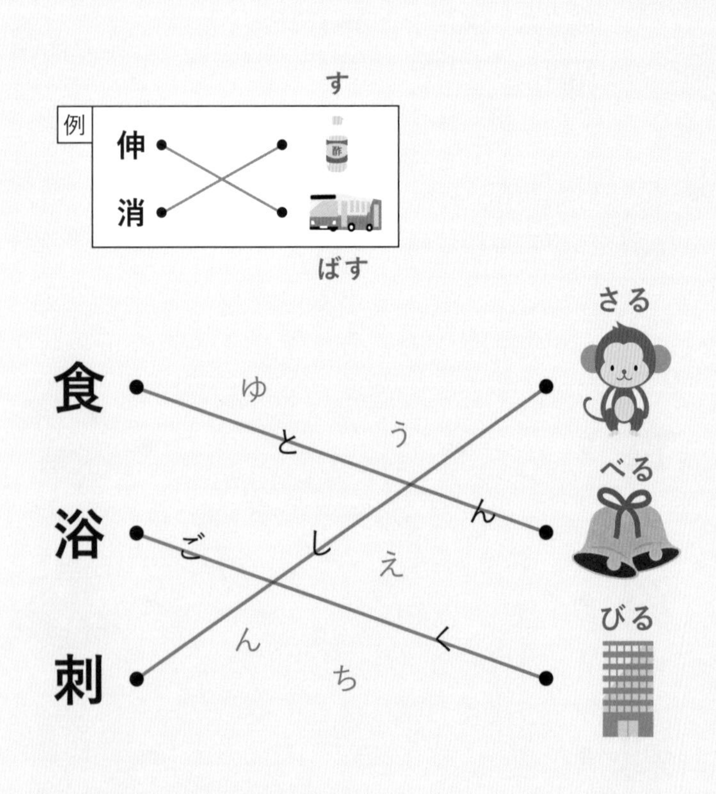

答え

ゆうえんち
（遊園地）

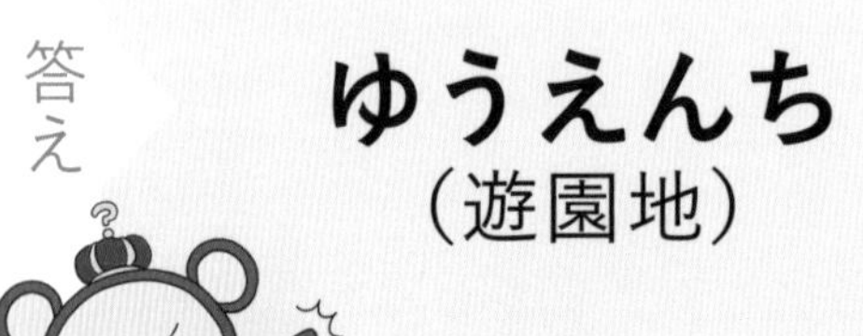

難易度 ★★★☆☆

Q14

問題

HINT 106

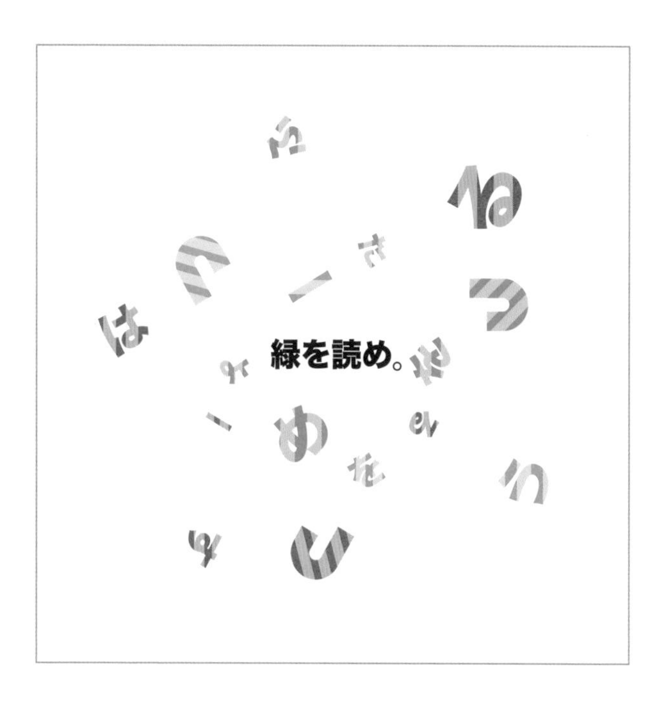

答えの言葉は?

答えは次のページ

A14

解説

指示文通りに緑の文字を読むと「ふたつをよめ」となる。2つある文字は「る」「ー」「め」（指示文の「め」も数える）なので、並び替えた言葉「めーる」が答え。

答え

めーる

難易度 ★★☆☆☆

Q15

問題

HINT 126

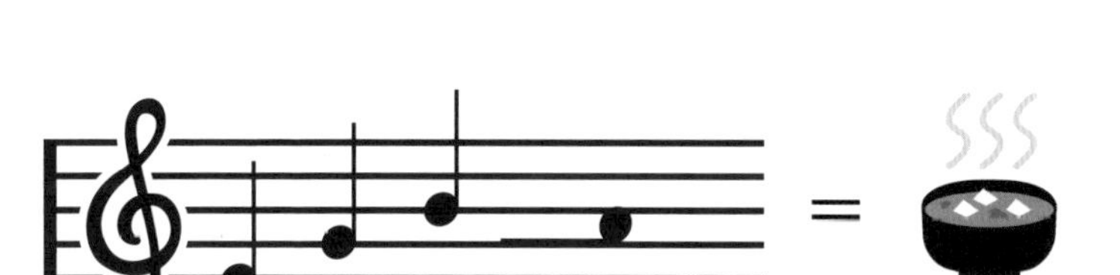

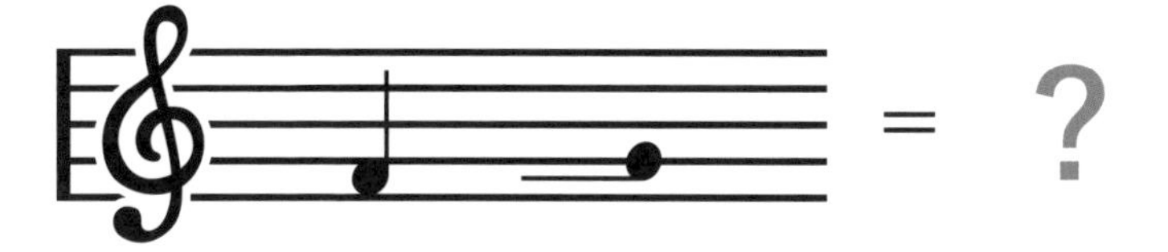

「?」に入る言葉は?

答えは次のページ

A15

解説

1つだけ倒れている音符の読みを、倒れているものと同じ向きに変えるとラ→ル、ソ→ンと変換できる。 従って答えは「ファン」。

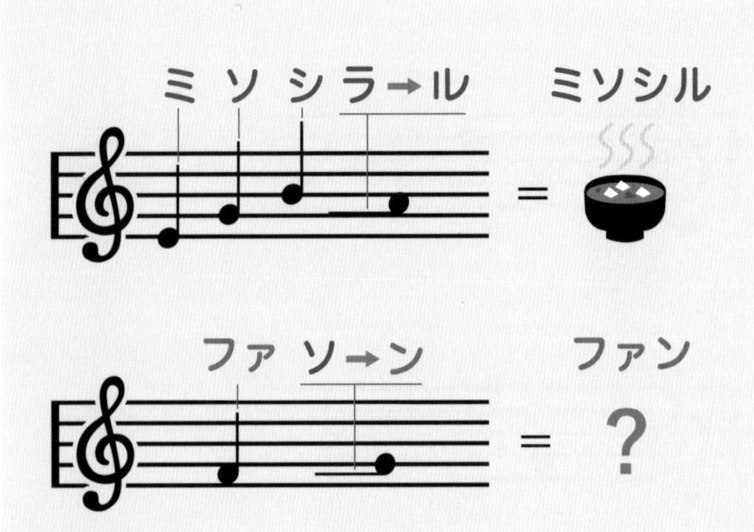

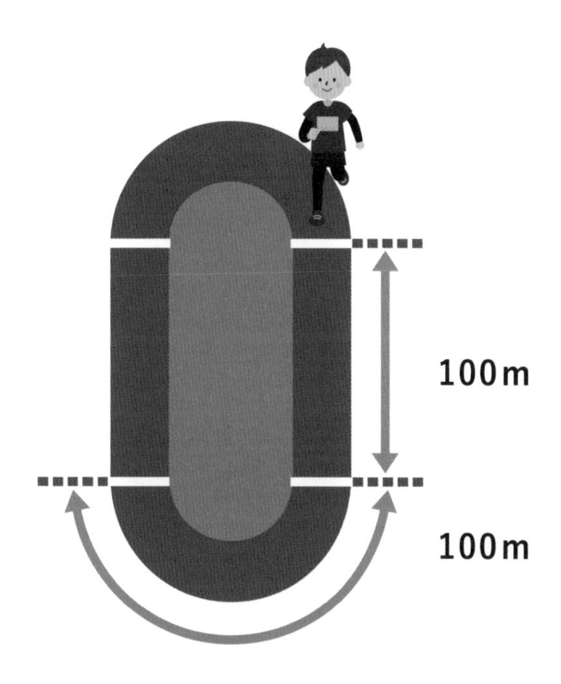

スタートを変えずに
200m走
400m走
300m走
100m走
の順に走ると、できる言葉は何？

A16

解説

スタートを右上の線として指示通りの距離を走ると、走ったコースに「J」「O」「U」「I」のアルファベットが現れる。

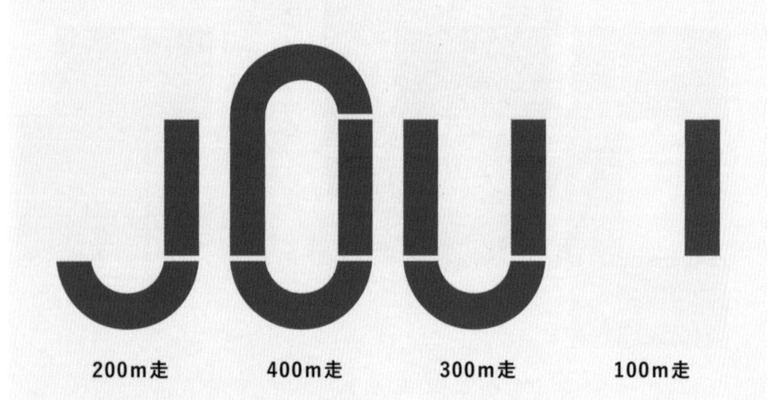

答え

じょうい（上位）

Q17

HINT 051

「?」に入る言葉は?

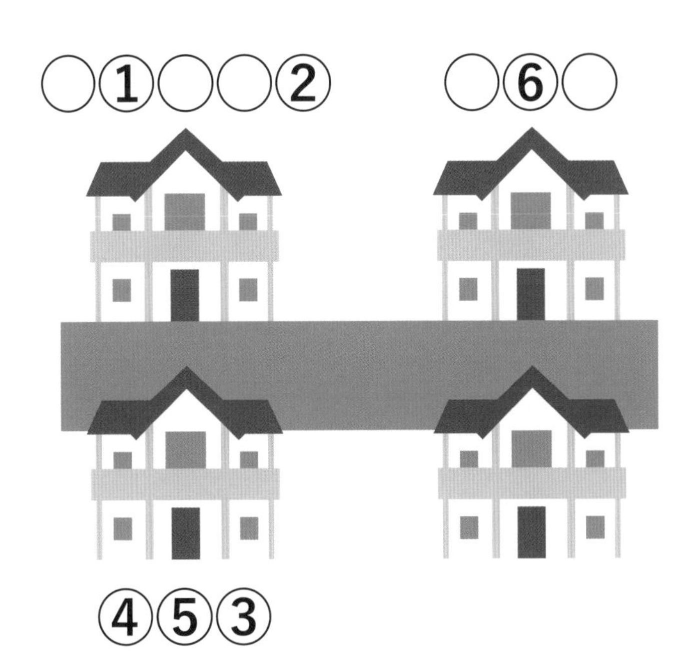

①②③ = 推理

④⑤⑥② = ?

答えは次のページ

A17

解説

それぞれの空欄には、赤い屋根の家から見た位置関係が入る。
空欄を埋めると、答えは「となかい」となる。

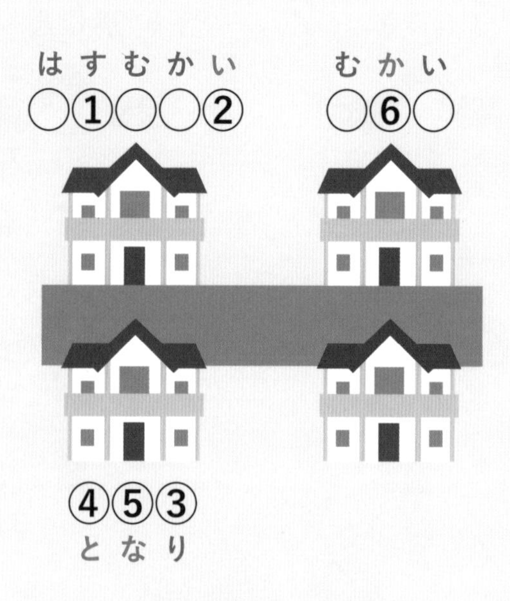

①②③＝推理

となかい
④⑤⑥②＝？

答え

となかい

銀
中級編
謎

中級編では、
徐々に悩む時間が増えてくるのではないでしょうか？
とはいっても「慣れ」は大切な要素。
数をこなせば、ひらめき方のコツが
分かってきます。

難易度 ★★★☆☆

Q18

問題

HINT 078

 ＝し 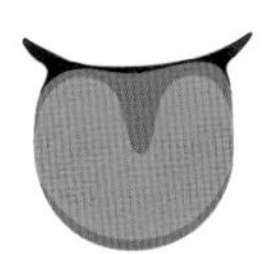 ＝①

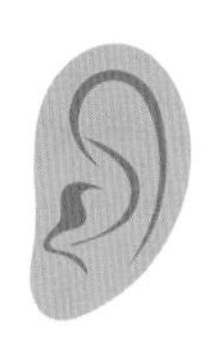 ＝ち 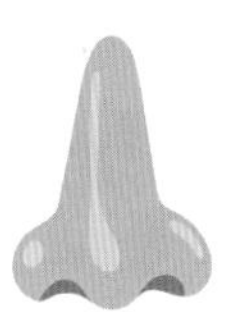 ＝②

答え＝①②

答えの言葉は？

A18

解説

それぞれのイラストは五感のうちの１つを指しており、ひらがなはその頭文字を表している。従って答えは「みき」となる。

視覚（しかく）

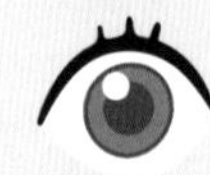 ＝し

味覚（みかく）

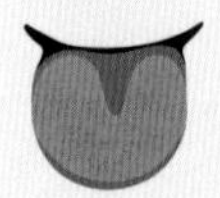 ＝①

聴覚（ちょうかく）

 ＝ち

嗅覚（きゅうかく）

 ＝②

答え＝①②（み き）

答え

みき（幹）

問題

HINT 073

「?」に入るイラストの言葉は?

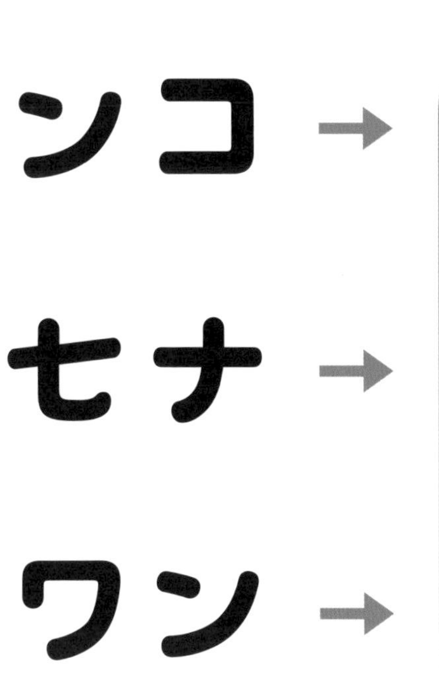

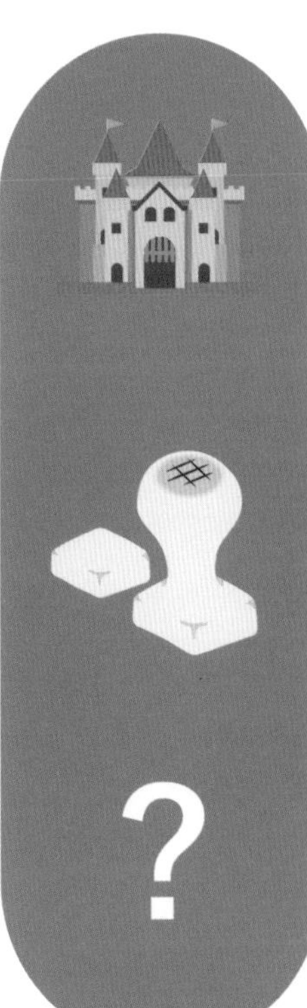

答えは次のページ

A19

解説

右の絵と照らし合わせて考えると、それぞれカタカナの1画目が消えていることが分かる。その法則から推測すると、答えは「ウシ」となる。

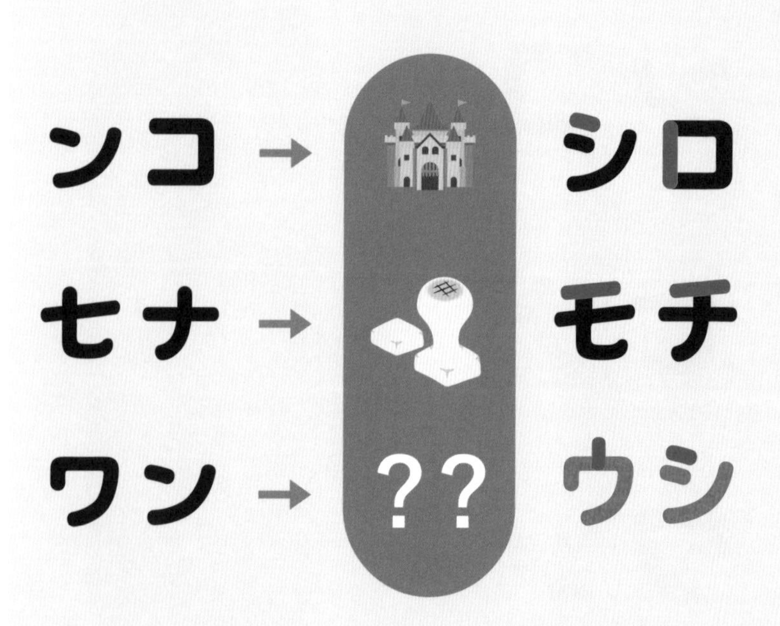

答え

ウシ

Q20

HINT 083

1	2	7	9
□□			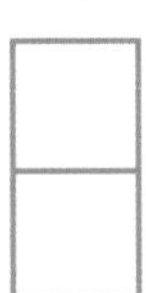
＝	＝	＝	＝
 つ □ □ ▲	 ふ ● □	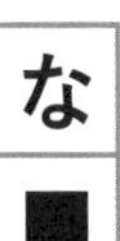  な ■ □	 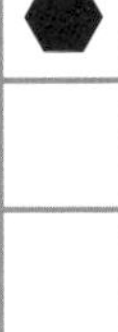 こ ⬣ □ □

答えは

答えの言葉は？

答えは次のページ

A20

解説

上の側のマス目は「日」という漢字を表している。それぞれの読みを下に当てはめると「ついたち」「ふつか」……となるので、答えは「つちのこ」。

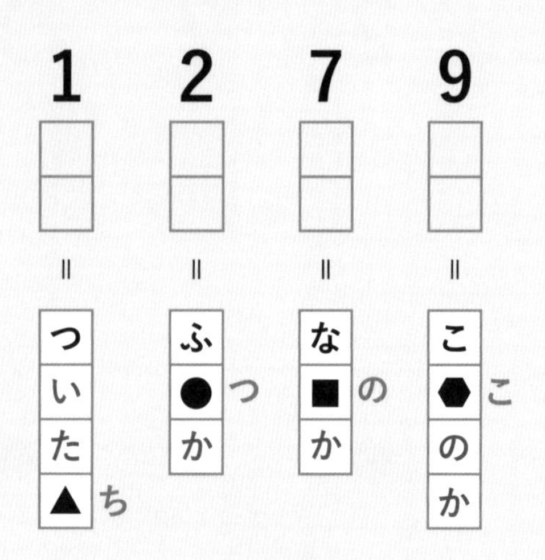

答えは

答え

つちのこ

Q21

HINT 105

20:20:20 = へ

14:30:40 = イ

のとき

13:40:40 − 15:00:30 = ？

「？」に入る言葉は？

答えは次のページ

A21

解説

数字は時刻を表しており、時計の針が表す形が右の文字となっている。「―」をマイナスではなく伸ばし棒ととらえると、答えは「ノート」となる。

20:20:20 = ヘ

14:30:40 = イ

のとき

13:40:40 − 15:00:30 = ノ ― ト

答え

ノート

難易度 ★★★★★

Q22

問題

HINT 117

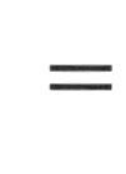

L ＋ 

「？」に入るイラストの言葉は？

答えは次のページ

A22

解説

言葉をすべてかなにして、伸ばし棒（ー）をマイナスと考えると、「はと」＋「こ」ー「と」＝「はこ」という式が成立する。「きん」＋「け」ー「き」＝「けん」も同様。従って答えは、「える」＋「び」ー「る」＝「えび」。

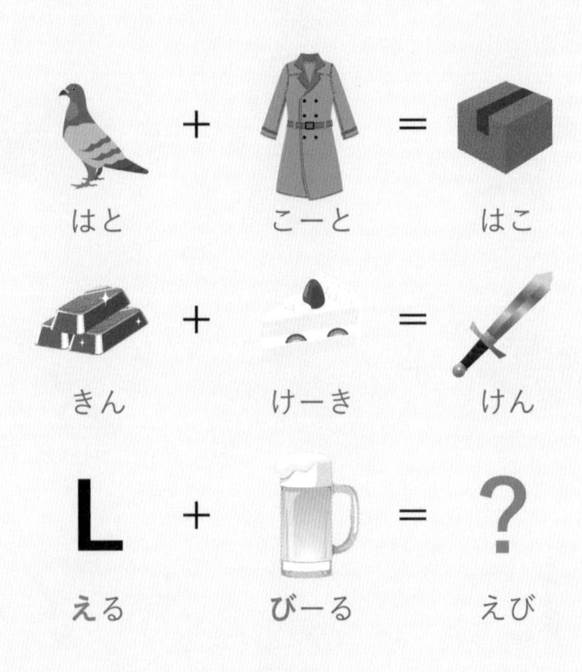

答え

えび

難易度 ★★★☆☆

Q23

HINT 098

例のように道を進め。
スタートからゴールまでたどったとき、
通らない文字を上から読め。

例

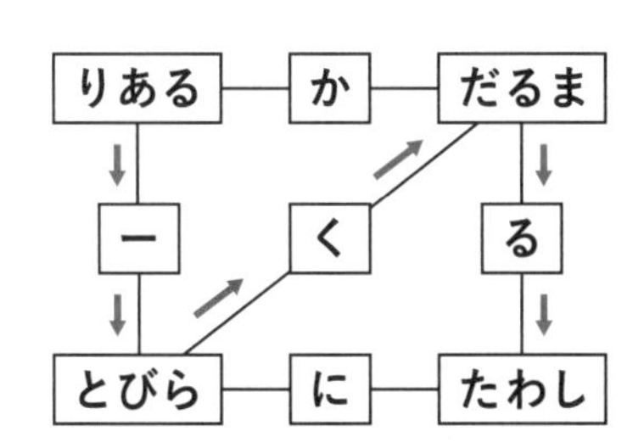

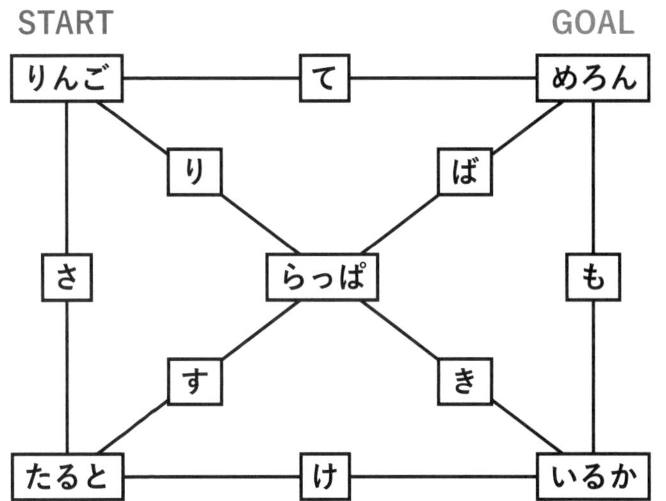

答えの言葉は？

A23

解説

例から、「りある」→「るーと」→「とびら」……というように、「しりとりに従って道を進む」という法則を読み取ることができる。その法則に従って余った文字を上から読むと、答えは「てばさき」となる。

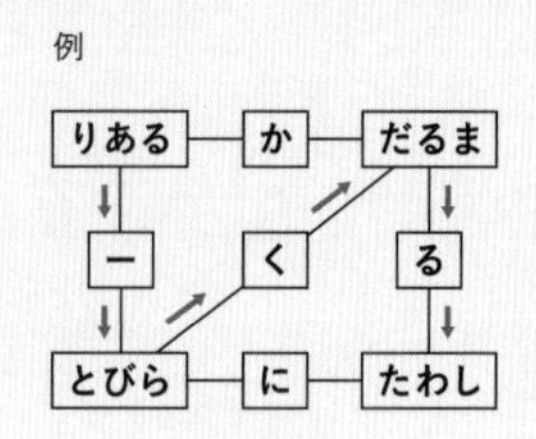

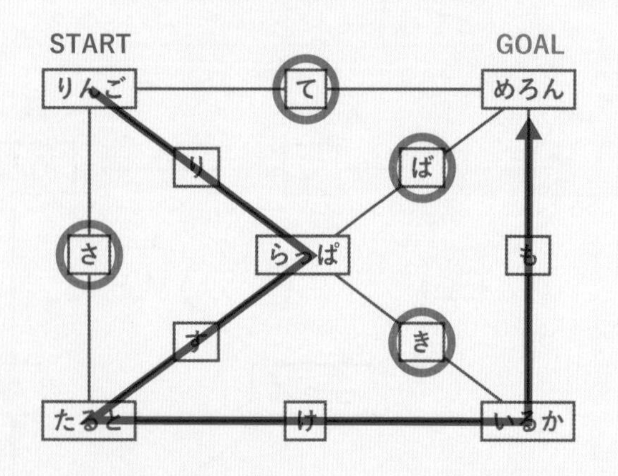

答え

てばさき

難易度 ★★☆☆☆

Q24

問題

「?」に入る言葉は?

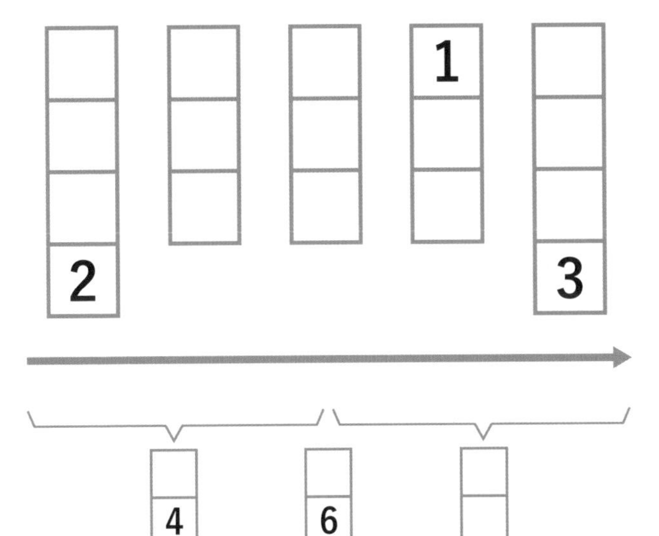

123＝相手

のとき

456＝?

A24

解説

中央の矢印は時間の流れを表しており、それぞれ時間を表す言葉が入る。数字に従って文字を拾うと、答えは「こいん」となる。

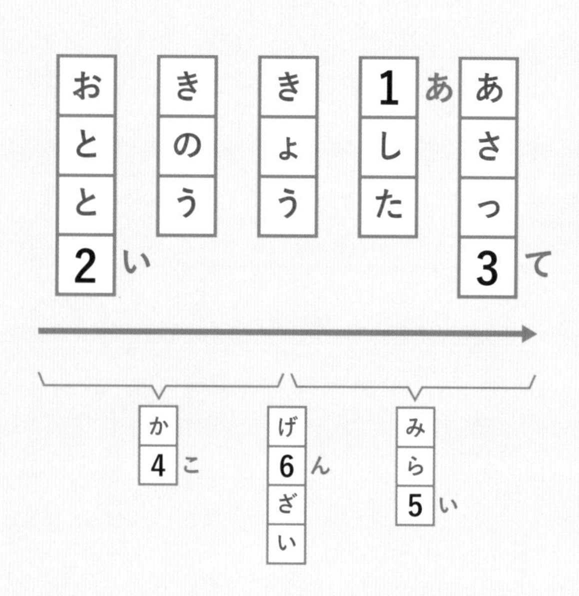

こ い ん
456＝？

答え

難易度 ★★★★★

Q25

問題

HINT 062

銃 → 軍

息子 → 損

共有 → ?

「?」に入る言葉は?

A25

解説

左の漢字を英語に変換し、ローマ字読みをすると右の言葉になる。その法則に従うと、「共有→SHARE→しゃれ（洒落）」となる。

GUN 銃	→	GUN 軍
SON 息子	→	SON 損
SHARE 共有	→	SHARE ？

答え

しゃれ
（洒落）

HINT 042

たくご まこい

左の文字を下の丸に
１回ずつ入れること。
➡ はすべて単語になる。

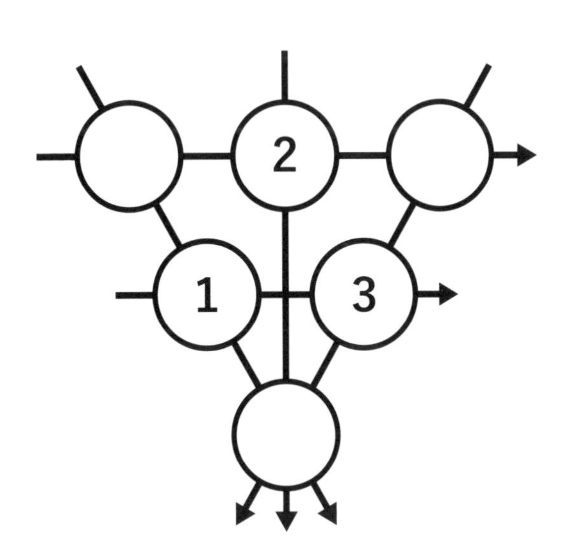

答え＝ １ ２ ３

A26

解説

図のように文字が入る。数字順に文字を拾うと、答えは「まいく」。

たくご まこい

左の文字を下の丸に
1回ずつ入れること。
➡ はすべて単語になる。

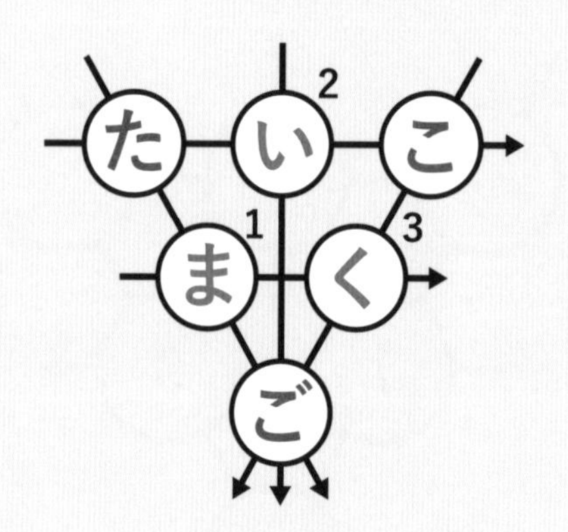

答え＝ 1（ま） 2（い） 3（く）

答え

まいく

Q27

問題

HINT 023

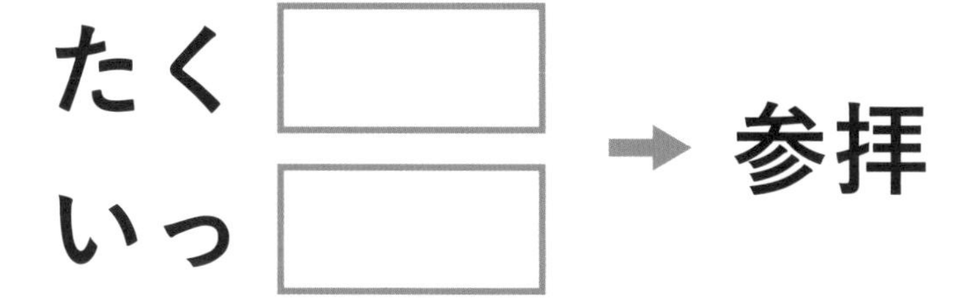

たん
けっ
→ ?

「?」に入る言葉は?

答えは次のページ

A27

解説

2つの言葉は類義語になっており、空欄の文字を組み合わせると右の熟語が完成する。その法則に従って下の空欄を埋めると、答えは「しょてん（書店）」となる。

たく［さん］
いっ［ぱい］
→ 参拝

たん［しょ］
けっ［てん］
→ ？

答え

しょてん
（書店）

火をつけると
オナラをする

血をつけると
放っておかれる

とき

気をつけると
何になる？

答えは次のページ

A28

解説

文章は、「ほう」にそれぞれの文字を加えた場合のことについて書かれている。法則に従うと答えは「ほう＋き」で、「ほうき」となる。

火をつけると
オナラをする

ほう ＋ ひ＝放屁

血をつけると
放っておかれる

ほう ＋ ち＝放置

とき

気をつけると
何になる？

ほう ＋ き＝ほうき

答え

ほうき

HINT 066

勇者のマスを出発して、
宝箱のマスまですべてのマスを
一度ずつ通って進んだとき
勇者は下の3つのような景色を見た。

このとき、赤い床のマスを通った順に読め。

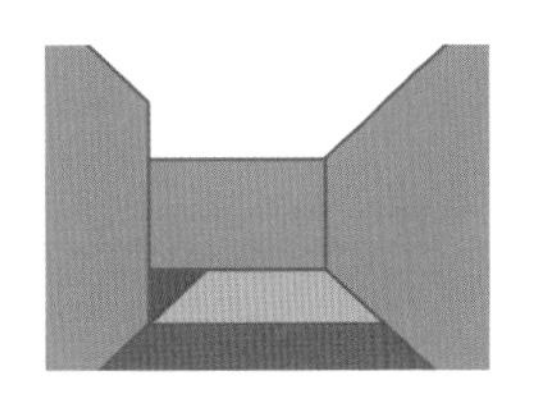

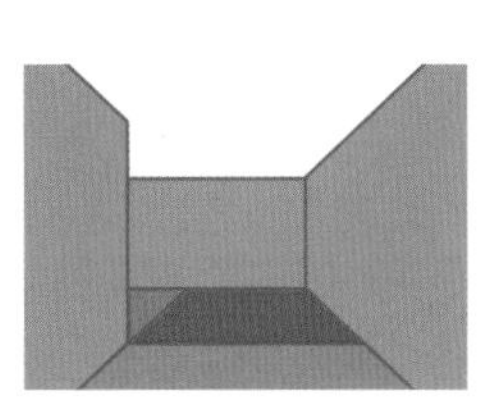

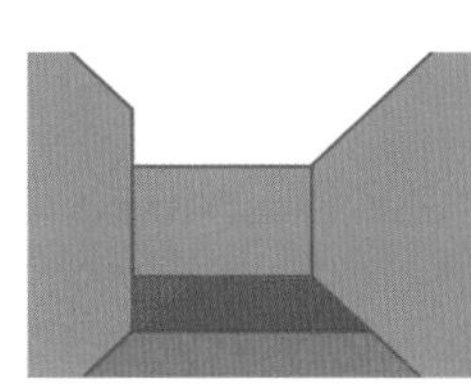

答えの言葉は？

答えは次のページ

A29

解説

宝箱があるマスまで床がつながるように並べ替えると、床の色は図のようになる。赤い床のマスを通った順に読んで、答えは「RPG」。

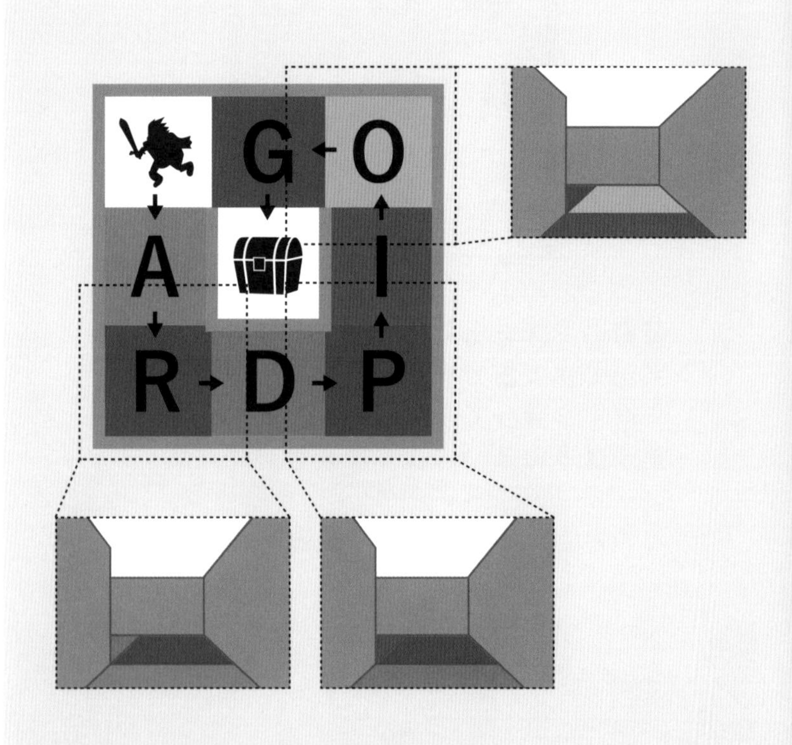

答え

RPG

Q30

HINT 128

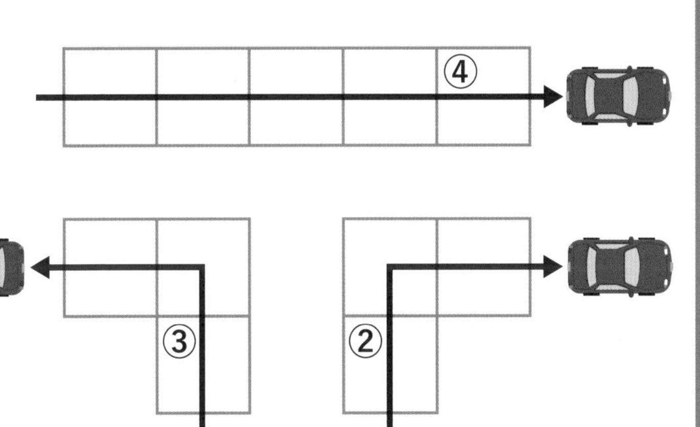

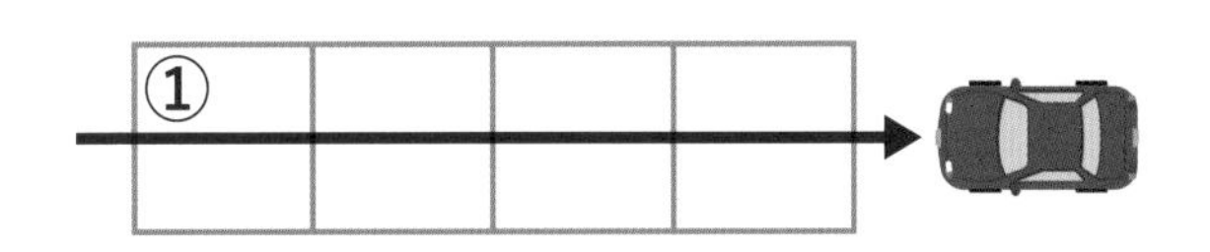

答え＝①②③て④

答えは次のページ

A30

解説

それぞれのマス目には、矢印の向きに応じた車の動きを表す言葉が入る。すべてのマスを埋めて、数字に対応する文字を読むと、答えは「こうさてん」。

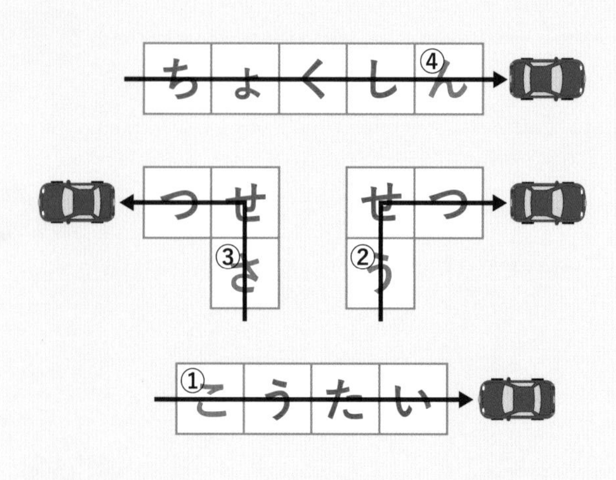

こ う さ ん

答え＝①②③て④

答え

こうさてん
（交差点）

難易度 ★★★☆☆

Q31

問題

HINT 094

②①＝し○☆

↕　　↕

ま○＝○③★

答え＝①②③う

答えの言葉は？

答えは次のページ

A31

解説

ヒントは星マークの色。両矢印の先にそれぞれ反対の意味の言葉を入れる。数字順に文字を拾って、答えは「ちかろう」。

　かち　　　　　ろぼし
②①＝し○☆

↕　　　　↕

ま○＝○③★
　け　　くろぼし

答え＝①②③う
　　　ちかろ

答え

ちかろう
（地下牢）

Q32

問題

HINT 046

「?」に入る言葉は?

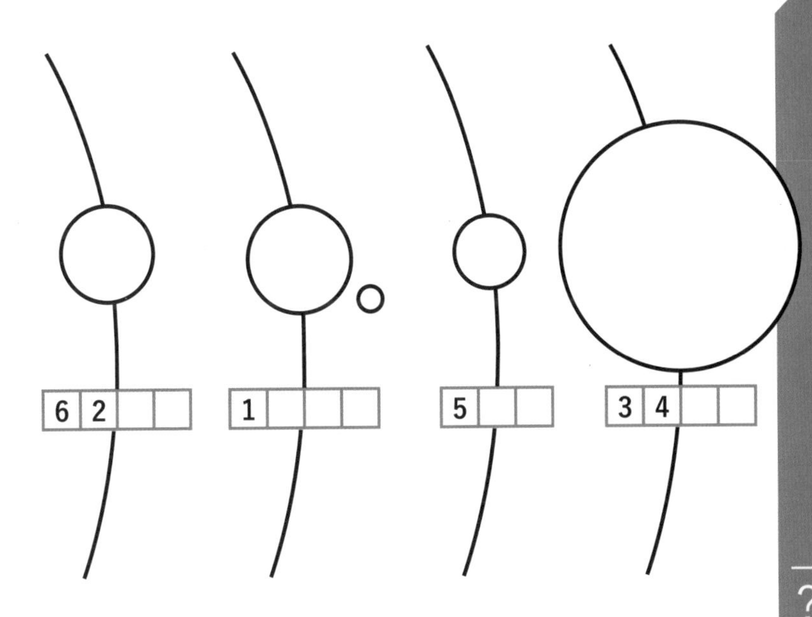

のとき

1 2 3 4 = ?

答えは次のページ

A32

解説

それぞれの円は太陽系の惑星を表している。月がある左から2番目が地球だと分かるので、それぞれ名前を当てはめて、数字に対応する文字を読むと、答えは「ちんもく」。

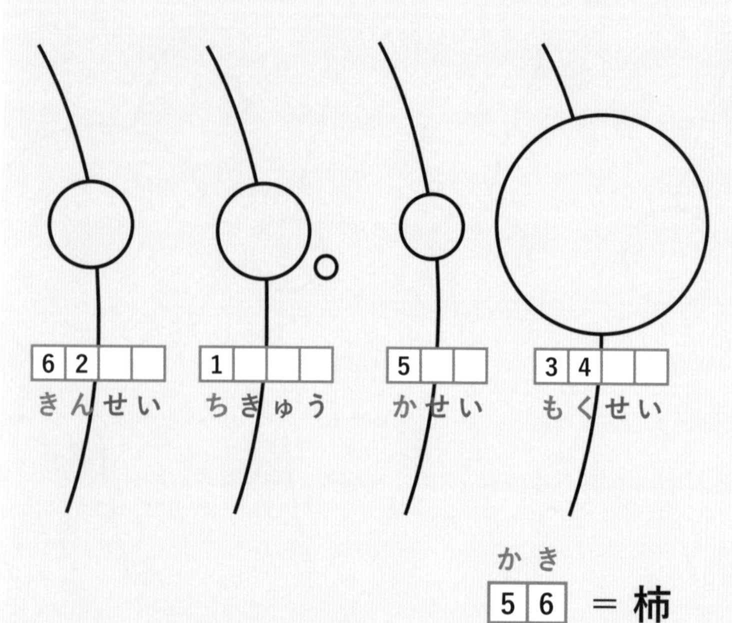

のとき

ちんもく
1 2 3 4 = ?

答え

ちんもく
（沈黙）

HINT 087

3
3 → Fire

5
55 → Forest

12　1 → Tomorrow

のとき

4　1
11 → ?

※答えは日本語でもよい

「?」に入る言葉は?

答えは次のページ

A33

解説

「1」だけ赤いことから、数字は曜日の漢字を表していることが分かる。1＝日、2＝月、3＝火……と当てはめると、答えは「水晶＝Crystal」となる。

火
火　3
3　→　Fire

木
木木　5
55　→　Forest

12　1　→　Tomorrow
明　日

のとき

4　1
11　→　?
水　日
日日

答え

Crystal

（水晶、クリスタル、なども OK）

HINT 052

エニグマくんがバレンタインでもらった
チョコレートがバラバラに……
しかも１ピースなくなったみたい！

答えはなくなったピースに書かれた言葉

答えの言葉は？

A34

解説

チョコレートのパズルを完成させ、なくなったピースの言葉を推測すると、答えは「エニっき＝絵日記」となる。

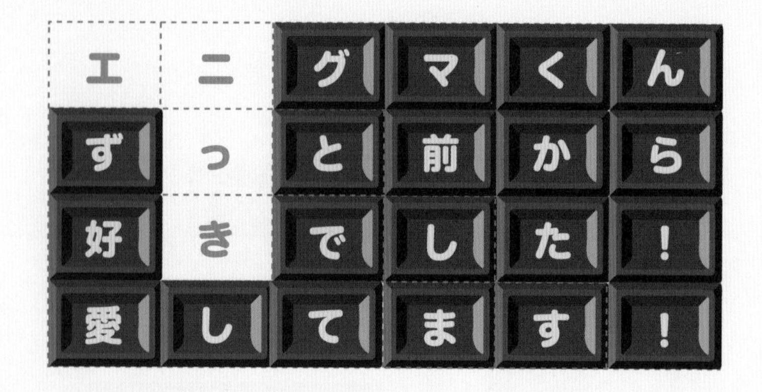

答え

えにっき
（絵日記）

銀謎
上級編

最後は上級編の問題を解いていきましょう。
ひとひねりもふたひねりもしている問題がありますが、
これまで数々の難問を解いてきた
あなたなら解けるはずです！

問題

HINT 082

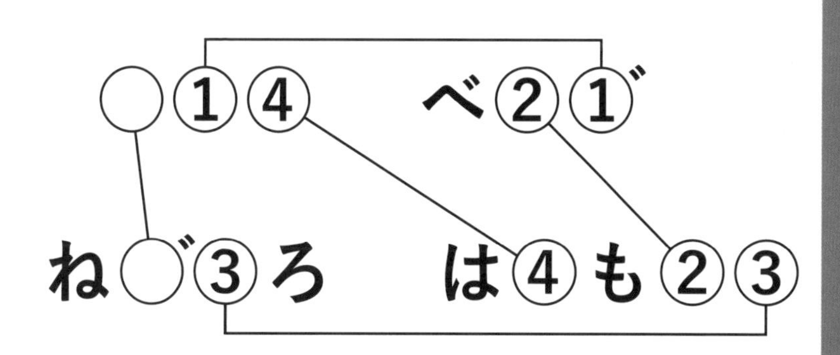

答え＝①②③④

答えの言葉は？

答えは次のページ

A35

解説

4つの言葉はすべて「寝るための道具」になる。空欄に入る言葉を推測して埋めると、答えは「とっくん」となる。

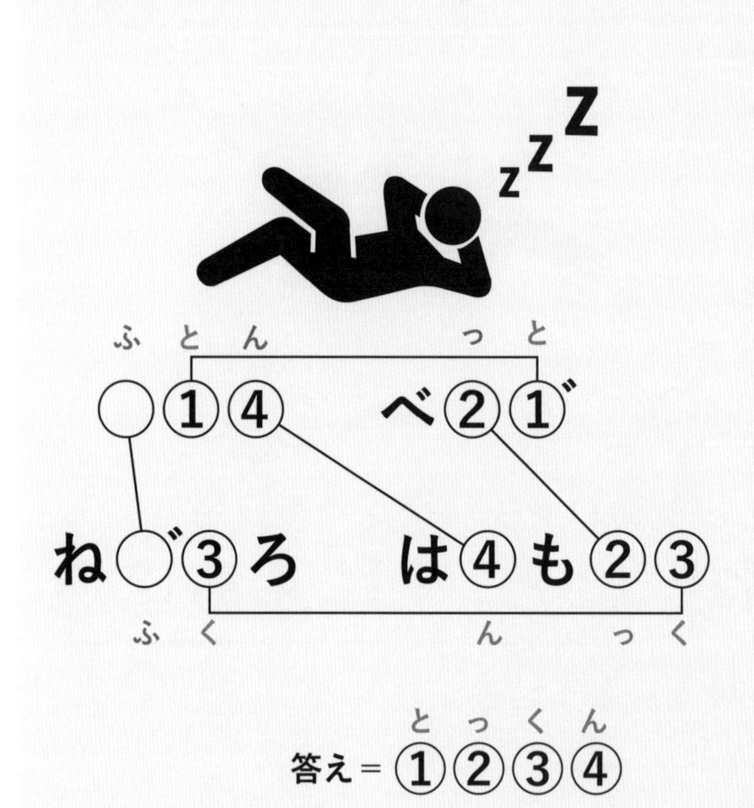

答え

とっくん
（特訓）

難易度 ★★★★

Q36

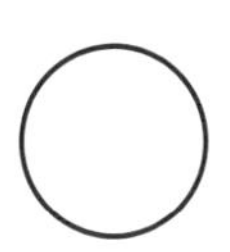　＜　24

　＜　54

　＜　?

「?」に入る数字は?

答えは次のページ

A36

解説

「<」は、ひらがなの「く」を表しており、色も合わせて読むと、右の数字は九九の答えであることが分かる。答えは「81」。

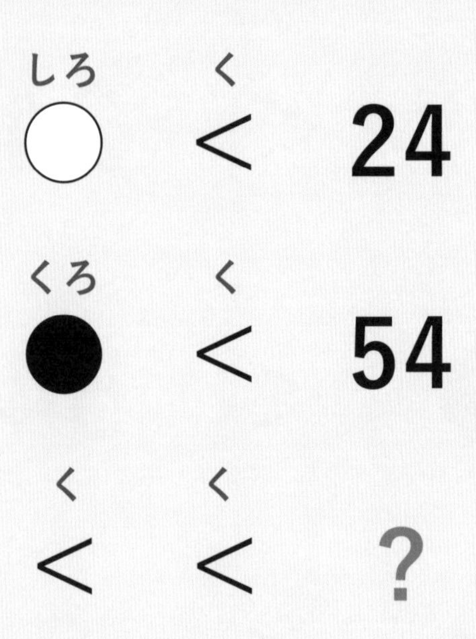

81

HINT 097

③①②③○

③③③○

答え＝①②③

答えの言葉は？

答えは次のページ

A37

解説

時計は5時を示しており、空欄の数と数字を考慮すると、「ごぜんごじ」「ごごごじ」と埋めることができる。数字順に文字を拾って、答えは「ぜんご」。

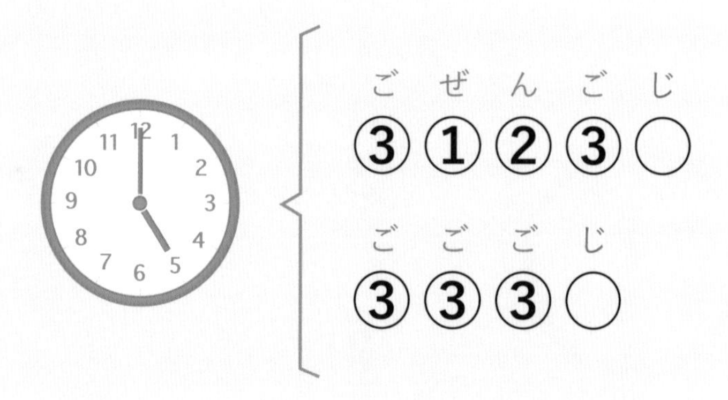

答え＝①②③（ぜ ん ご）

答え

前後
（ぜんご）

HINT 043

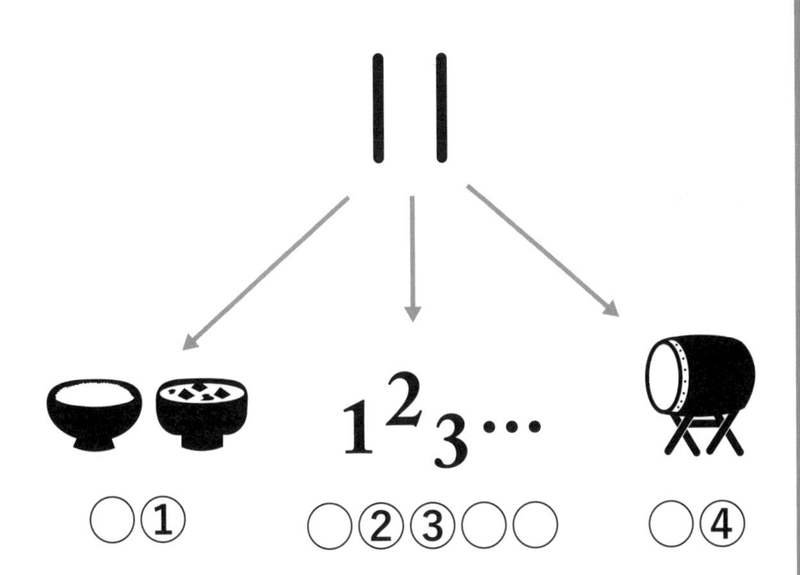

○①　○②③○○　○④

答え＝①②③④②③

答えは次のページ

A38

解説

矢印が伸びている2本の縦線を、それぞれのイラストから連想される言葉に置き換えると、答えは「しゅうちゅう」となる。

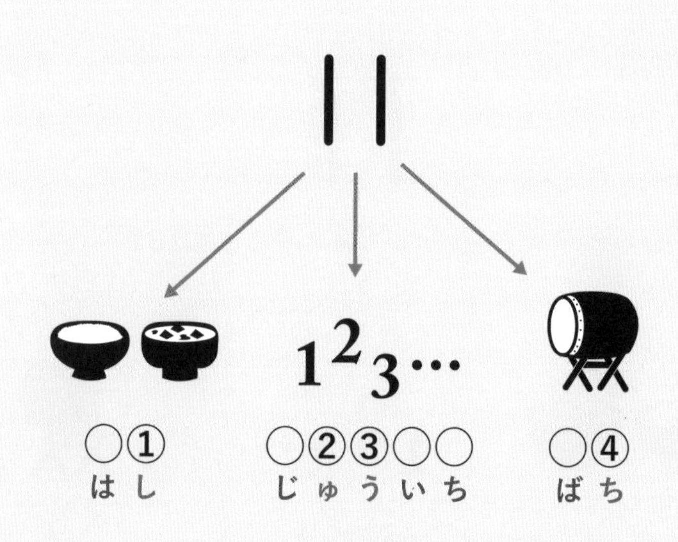

答え

しゅうちゅう
（集中）

難易度 ★★★★★

Q39

HINT 054

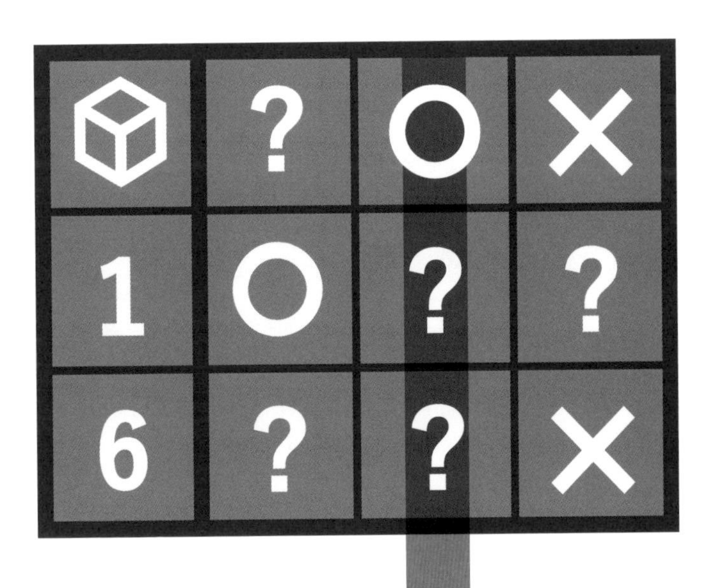

答え

答えの言葉は？

答えは次のページ

A39

解説

表に書かれているのはマルやバツではなくアルファベット。左側の絵や数字を英単語にしたものが右側に入るので、答えは「ONI＝おに」となる。

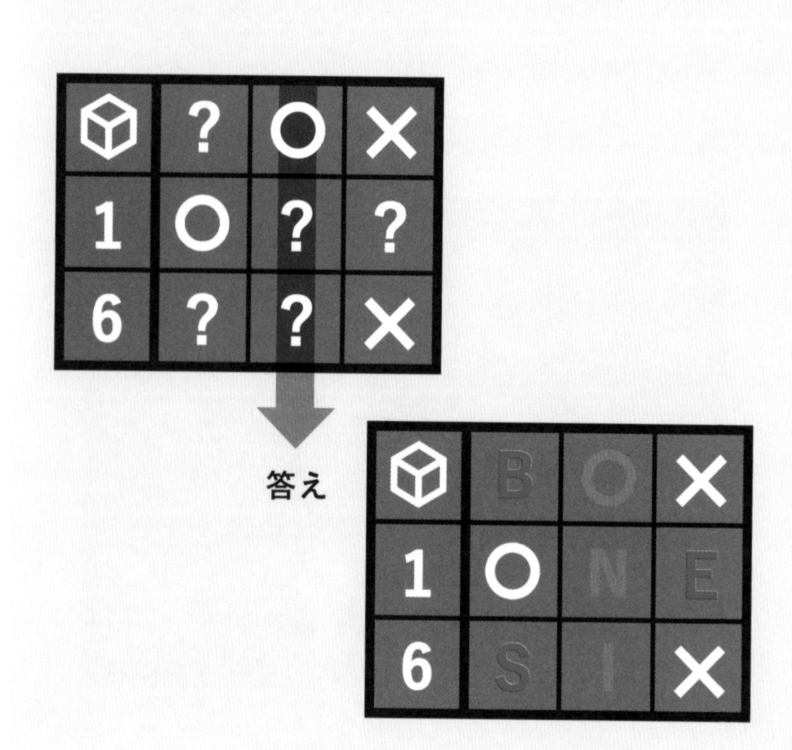

答え

おに
（鬼）

難易度 ★★★★★

Q40

問題

HINT 031

答え＝①②

答えの言葉は？

A40

解説

ヒントは日本地図。動物マークをそれぞれ漢字にして、4つの県名を入れる。①②を読んで、答えは「本島」となる。

答え

本島

HINT 101

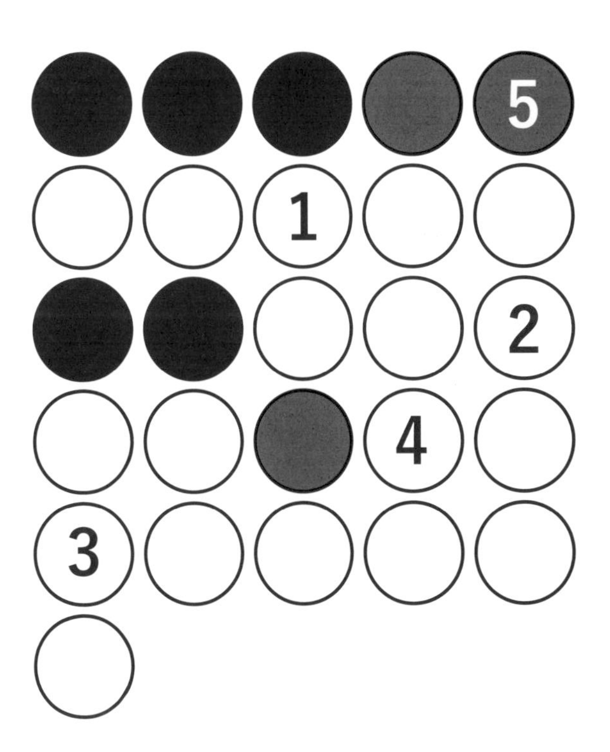

答え＝①②③④⑤

答えの言葉は？

答えは次のページ

A41

解説

全部で26個の丸があり、BLACKが入る丸が黒、REDが入る丸が赤になっていることから、丸にはアルファベットが順に入ることが分かる。数字に対応する文字を読むと、答えはHOUSE。

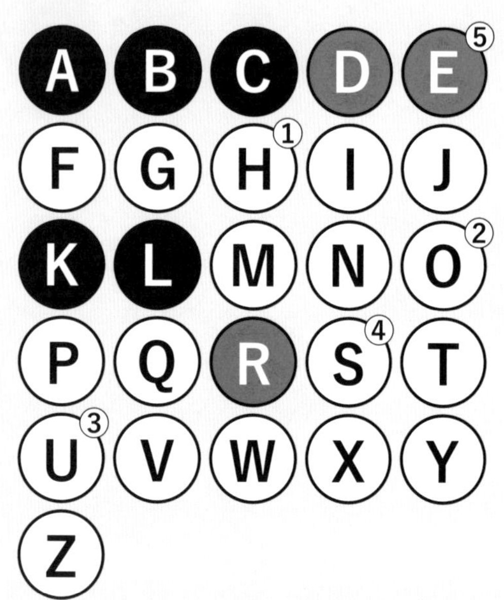

H O U S E

答え＝①②③④⑤

答え

HOUSE

Q42

HINT 065

○ ＝ まる

□ ＝ かく or きり

「？」に入る言葉は？

答えは次のページ

A42

解説

イラストはおもちを上から見たところ。「まる」もち、「かく（orきり）」もち、「かがみ」もち、なので、「？」に入るのは「かがみ」。

まるもち ○ ＝ まる

かくもち or きりもち □ ＝ かく or きり

かがみもち ◎ ＝ ？

答え

かがみ

HINT 038

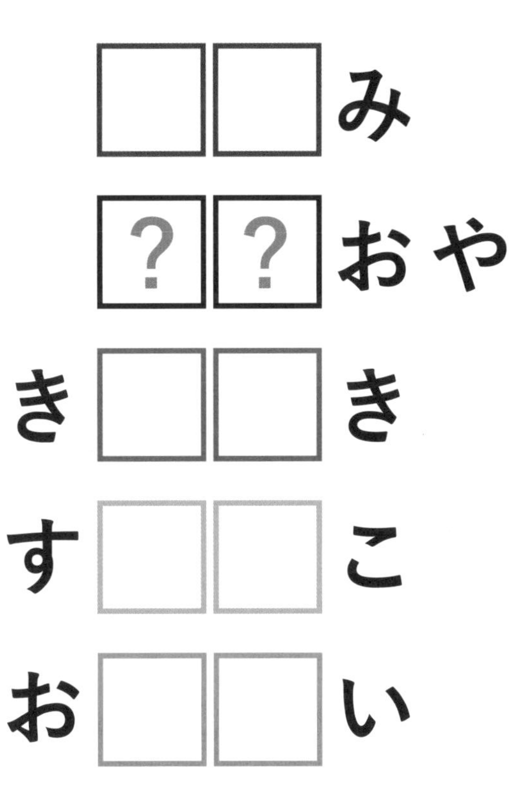

答え＝ ??

「??」に入る2文字の言葉は？

答えは次のページ

A43

解説

マスの前後の文字から、マスには上から順に「た行」のひらがなが2文字ずつ入ることがわかる。従って答えは「ちち」となる。

答え

ちち
（父）

難易度 ★★★★☆

Q44

HINT 074

ホ①ル

ル②

レ③ト

ボ④ビル

ク⑤ン

答え＝③④

答えの言葉は？

答えは次のページ

A44

解説

①〜⑤の空欄にABCDEをカタカナで入れると、それぞれ言葉が完成する。従って答えは「シーディー」。

ホ①ル（①＝エー）

ル②（②＝ビー）

レ③ト（③＝シー）

ボ④ビル（④＝ディー）

ク⑤ン（⑤＝イー）

答え＝③④（シー ディー）

答え

シーディー
（CD）

Q45

問題

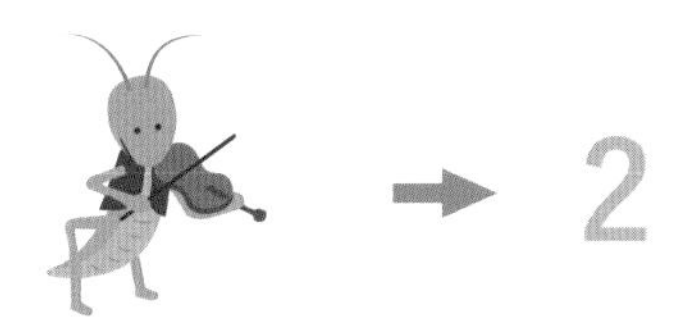

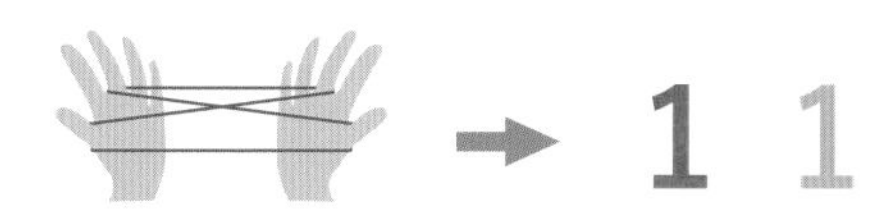

赤青黄＝？

「？」に入る言葉は？

答えは次のページ

A45

解説

それぞれの数字は、イラストに含まれるある文字の数を表している。同じ色が同じ文字になるようにイラストを照らし合わせると赤＝ア、青＝プ、黄＝リとなる。

→ 1 1　クリップ

→ 2　キリギリス

→ 1 1　プリン

→ 2　アシアト

→ 1 1　アヤトリ

赤青黄＝アプリ

答え

アプリ

難易度 ★★★★☆

Q46

問題

HINT 012

答えの言葉は?

答えは次のページ

A46

解説

右の記号には、それぞれの乗り物の数と単位が入る。すべての言葉を埋めて記号を読むと、「きょうだい」となる。

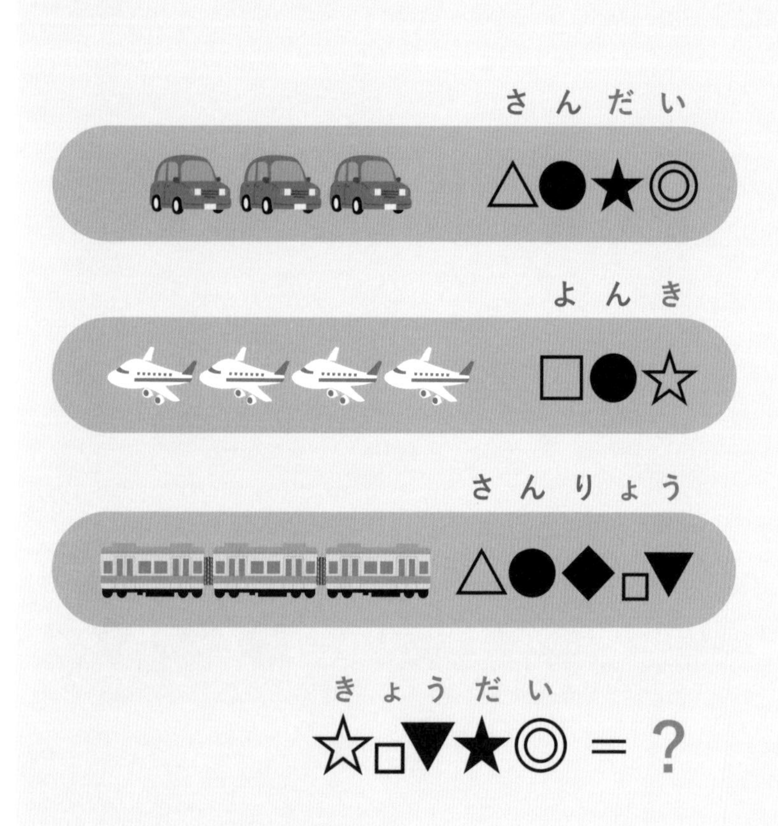

答え

きょうだい
（兄弟）

銀謎

難易度 ★★★★☆

Q47

問題

HINT 055

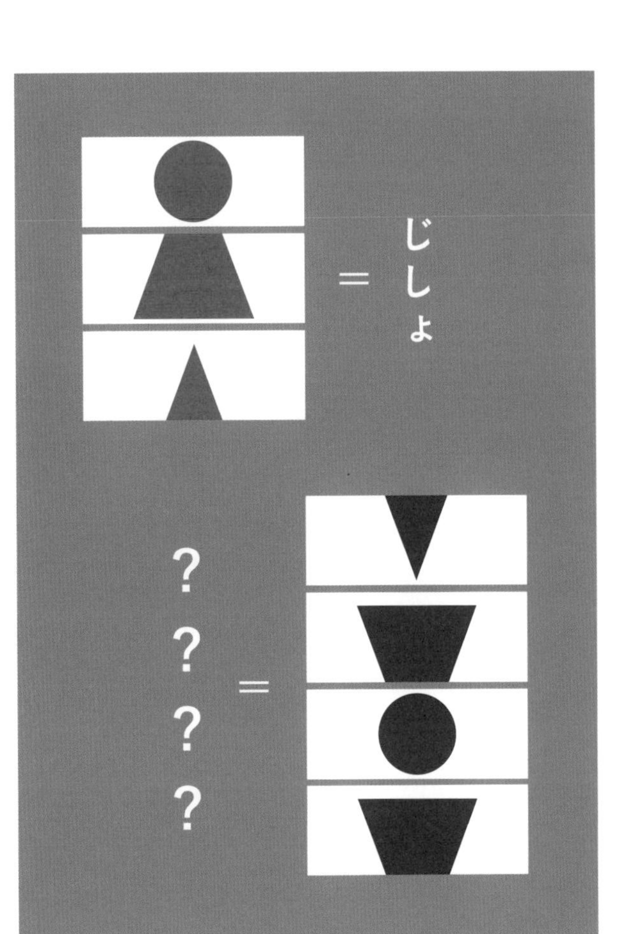

「？？？？」に入る4文字の言葉は？

上級編

答えは次のページ

A47

解説

各ピースはトイレのマークを３等分したときの文字と対応している。「だんし」を３等分し、該当する部分に文字を当てはめると「しんだん」となる。

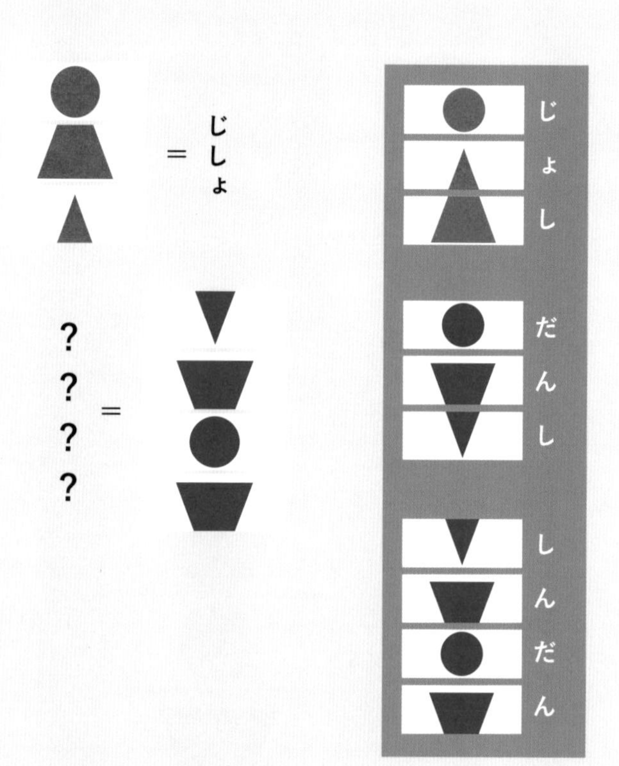

答え

しんだん
（診断）

難易度 ★★★★☆

Q48

問題

HINT 026

= レ○②

= ①○ク

答え＝①②③

答えの言葉は？

答えは次のページ

A48

解説

左側のイラストはすべて、ティーカップに入った紅茶の種類を表している。空欄を埋めていくと、答えは「ミント」となる。

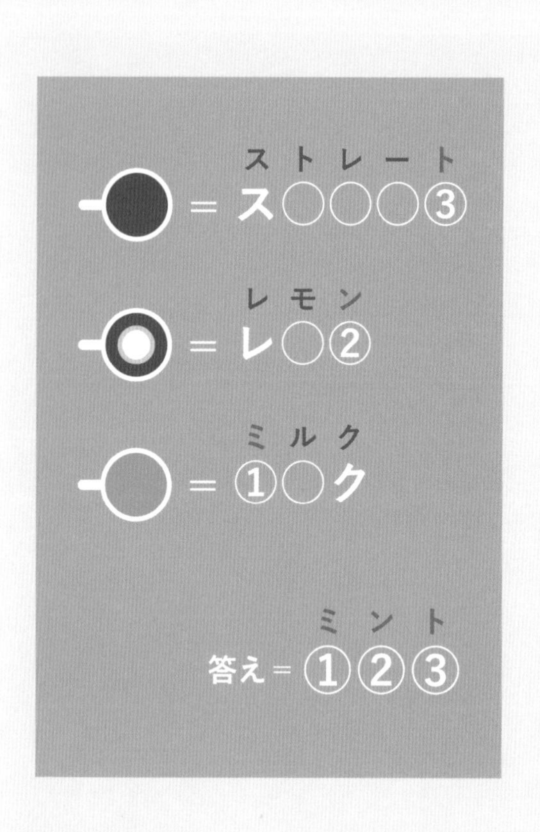

答え

ミント

Q49

問題

HINT 089

「?」に入るイラストの言葉は?

答えは次のページ

A49

解説　これらはすべて、その図や色を表す日本語と英語のクロスワードになっている。4565に入る文字は「ロンドン」となる。

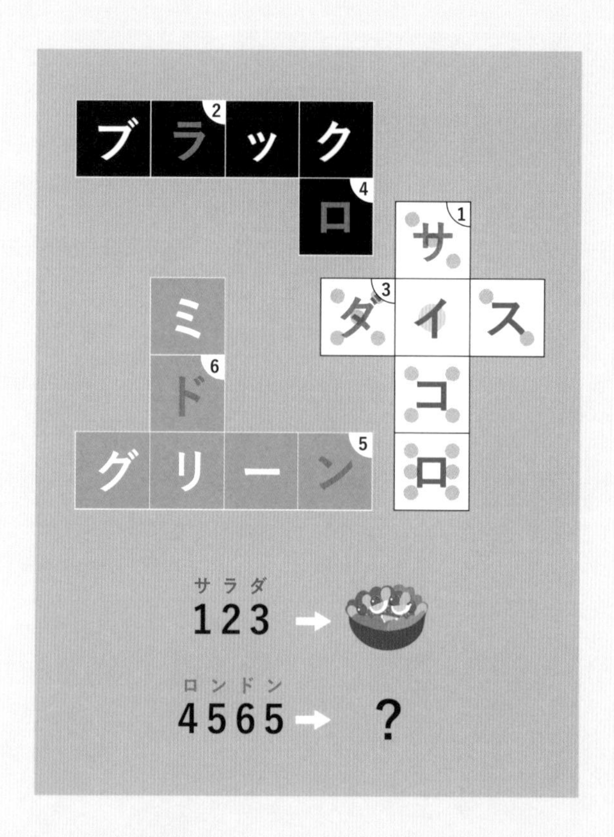

答え　**ロンドン**

HINT 039

しじつ → ゅ

おどり → お

かたき → ①

なまり → ②

答え＝①②

答えの言葉は？

答えは次のページ

A50

解説

矢印の左にある言葉の文字の間に右の文字を入れると、別の言葉になる。「かたき」は「た」を入れると「かたたたき」、「なまり」は「つ」を入れると「なつまつり」となるので、答えは「たつ」。

しじつ（ゆ ゆ）→ ゆ　しゅじゅつ

おどり（お お）→ お　おおどおり

かたき（た た）→ ①　かたたたき

なまり（つ つ）→ ②　なつまつり

答え＝①②（たつ）

答え

たつ

難易度 ★★★★★

Q51

HINT 071

「???」に入る3文字の言葉は?

答えは次のページ

A51

解説

それぞれの絵を文字にして読んでみると、前から読んでも後ろから読んでも同じ文章であることが分かる。その法則に従うと、「いかと」の後に入る3文字は「とかい」。

みなととなみ

いけととけい

いかととかい

答え

とかい
（都会）

難易度 ★★★★★

Q52

問題

HINT 084

5/4の5/5
2/23の3/10　火の粉
5/5の1/5

のとき

5/5の3/5
5/4の1/5　？
2/23の7/10

「？」に入る言葉は？

答えは次のページ

A52

解説

5月4日＝みどりのひ（5文字）、5/5＝こどものひ（5文字）、2月23日＝てんのうたんじょうび（10文字）から、それぞれ分数で指定された文字を読む。従って答えは「もみじ」。

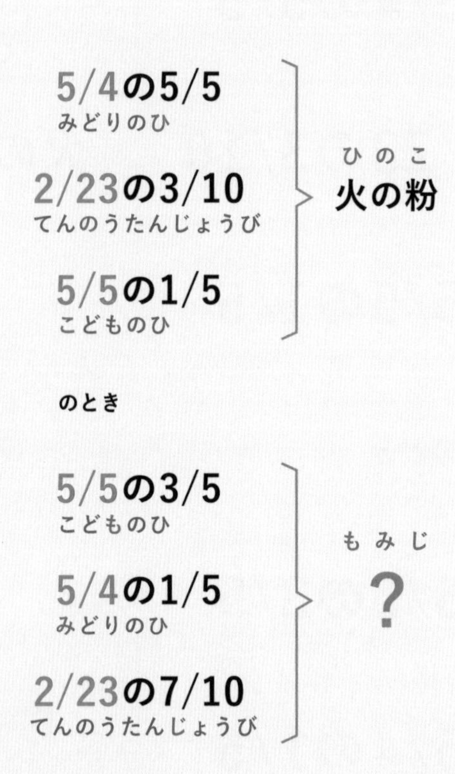

答え

もみじ

ヒント編

どうしても解けない場合に、該当するヒント番号を参照してください。

HINT 001 ▶ 014

001 Q15 ヒント2
上の音符は「ミソシラ」ですが、「ラ」のカタカナを音符と同じように倒すと「ル」になります。同様に下の「ソ」も倒してみましょう。

002 Q28 ヒント1
「オナラをする」と「放っておかれる」を別の言葉に言い換えましょう。
▶さらなるヒントは045へ

003 Q47 ヒント2
ピースを並び替えると、何のマークになるでしょう？

004 Q9 ヒント2
赤矢印が通る4つのマスには「F」「I」「R」「E」が入ります。
▶さらなるヒントは034へ

005 Q14 ヒント3
真ん中の問題文をよく見てください。

006 Q3 ヒント1
左のイラストを、それぞれ2つの言葉に変換しましょう。
▶さらなるヒントは115へ

007 Q11 ヒント2
3つの記号を「ブ」「ル」「ー」に当てはめ、下の記号を読んでみましょう。
▶さらなるヒントは093へ

008 Q39 ヒント3
左側の箱、1、6を、それぞれ英語に変換したものが右側に入ります。

009 Q35 ヒント2
寝ている人と言葉の関係に注目してください。

010 Q52 ヒント3
「の」の前の分数は、日本の祝日を表しています。2月23日は天皇誕生日、5月4日はみどりの日、5月5日はこどもの日です。

011 Q5 ヒント2
Rock＝石です。
▶さらなるヒントは032へ

012 Q46 ヒント1
同じイラストが複数あることがポイントです。▶さらなるヒントは056へ

013 Q11 ヒント1
記号は3つ、「ブルー」も3文字です。
▶さらなるヒントは007へ

014 Q13 ヒント1
例のイラストは「す」と「ばす」、問題のイラストは上から、「さる」「べる」「びる」です。▶さらなるヒントは125へ

015 Q33 ヒント2
3には「火」、5には「木」が入ります。1・2・4には何が入るでしょうか？

016 Q4 ヒント1
各数字に1つずつ文字が入ります。
▶さらなるヒントは060へ

017 Q38 ヒント2
2本の縦線を下のイラストと組み合わせると、何になるでしょう？

018 Q21 ヒント2
アナログ時計の針の形を思い浮かべてみてください。
▶さらなるヒントは114へ

019 Q49 ヒント2
1のマスには「サ」が、3のマスには「ダ」が入ります。右の図を、2種類の言葉で表現し、マスに入れましょう。
▶さらなるヒントは035へ

020 Q31 ヒント2
星が白と黒の2種類あることに注目してください。

021 Q17 ヒント2
赤い屋根の家から、他の3つの位置関係はどのようになっているでしょう？

022 Q41 ヒント2
丸の数を数えてみましょう。
▶さらなるヒントは107へ

023 Q27 ヒント1
空欄にはひらがな2文字が入ります。
▶さらなるヒントは050へ

024 Q10 ヒント2
一番上の記号は、「とうちょう(登頂)」を表しています。

025 Q32 ヒント2
図は太陽系の星の一部を示しています。近くに小さな星がある、左から2つ目はどの星でしょう？

026 Q48 ヒント1
イラストはあるものを上から見た図です。▶さらなるヒントは059へ

027 Q6 ヒント2
この表は、1週間の曜日を表しています。▶さらなるヒントは041へ

028 Q22 ヒント3
言葉の伸ばし棒（ー）を、「マイナス」と考えて文字の足し引きをしてみてください。

029 Q5 ヒント1
図は、ある勝負事を示したものです。
▶さらなるヒントは011へ

HINT 030 ▶ 043

030 Q1 ヒント2
3つに共通してつけることができる言葉を探してみてください。
▶さらなるヒントは077へ

031 Q40 ヒント1
背景に日本地図があるのがヒント。日本に関係する4つの言葉を考えてみてください。▶さらなるヒントは075へ

032 Q5 ヒント3
数字は、指の本数を表しています。

033 Q19 ヒント2
イラストをカタカナで書き、左の文字と見比べてみましょう。

034 Q9 ヒント3
上のマスに入るのは「FIRST」です。

035 Q49 ヒント3
右の図は縦に「サイコロ」、横に「ダイス」が入ります（「イ」が共通します）。他の図も同様に2種類の言葉を入れてください。

036 Q39 ヒント2
◯と×を、アルファベットとして考えてみてください。
▶さらなるヒントは008へ

037 Q6 ヒント1
表の右2つの列だけ、青、赤に塗られています。この表に見覚えはないでしょうか？▶さらなるヒントは027へ

038 Q43 ヒント1
同じ色のマスには同じ文字が入ります。言葉になるようマスを埋めていきましょう。▶さらなるヒントは070へ

039 Q50 ヒント1
左の3文字の言葉が5文字の言葉になるように、間に右の文字を入れてみましょう。▶さらなるヒントは080へ

040 Q20 ヒント3
数字のすぐ下にある図形は、漢字の「日」です。それぞれの数字と合わせて読むと……？

041 Q6 ヒント3
左から縦に、「MON」「TUE」「WED」……と、曜日の英字3文字が入ります。黒丸の英字を矢印の順に読んでみましょう。

042 Q26 ヒント1
左上の空欄には「た」が入ります。
▶さらなるヒントは110へ

043 Q38 ヒント1
矢印が伸びている2本の縦線は、いろいろなものに見えます。
▶さらなるヒントは017へ

044 Q16 ヒント2
200m走のコースは「J」の形になります。他も同じように形を読んでみてください。

045 Q28 ヒント2
オナラをする＝「放屁(ほうひ)」、放っておかれる＝「放置(ほうち)」です。「ひ」や「ち」がついていますね。

046 Q32 ヒント1
図は、あるものの形とそれらの軌道を示しています。
▶さらなるヒントは025へ

047 Q4 ヒント3
上の段は単位、下の段は等級を表しています。それぞれ次に来る言葉は何でしょう？

048 Q10 ヒント1
イラストの人物は、山登りをしているようです。▶さらなるヒントは024へ

049 Q24 ヒント2
上の5つの空欄の中央に入るのは「きょう」です。
▶さらなるヒントは100へ

050 Q27 ヒント2
上2つの空欄には右の言葉を2つに分けた「さん」「ぱい」が入ります。下2つの空欄に入る文字にはいろんな可能性がありますが、上の例から法則を見つけることはできないでしょうか？

051 Q17 ヒント1
家が4つ並んでいますが、1つだけ屋根が赤いものがあります。真ん中には道路がありますね。
▶さらなるヒントは021へ

052 Q34 ヒント1
左のピースは、盤面の一番右に入ります。▶さらなるヒントは081へ

053 Q7 ヒント1
イラストは映画の一場面で、話しているのは外国人のようです。
▶さらなるヒントは116へ

054 Q39 ヒント1
表に書かれている○や×は、「マル」や「バツ」ではありません。
▶さらなるヒントは036へ

055 Q47 ヒント1
各ピースと文字の個数が一致しています。▶さらなるヒントは003へ

056 Q46 ヒント2
それぞれのイラストの数を数えてみましょう。▶さらなるヒントは091へ

057　Q23 ヒント2
上の例から「しりとりに従って道を進む」という法則を読み取ることができます。

058　Q45 ヒント1
まずはそれぞれのイラストを言葉に変換しましょう。
▶さらなるヒントは063へ

059　Q48 ヒント2
イラストはある「飲み物」です。
▶さらなるヒントは085へ

060　Q4 ヒント2
上の段の矢印と、下の段の矢印では、意味が異なります。
▶さらなるヒントは047へ

061　Q3 ヒント3
2番目のマスに入るのは「りんご」。赤枠を読むと「アリ」になります。下のイラストも同様に変換していきましょう。

062　Q25 ヒント1
漢字を何かに変換します。その変換の仕方がポイントです。
▶さらなるヒントは103へ

063　Q45 ヒント2
「2」の数字の言葉に共通したものはないでしょうか？
▶さらなるヒントは127へ

064　Q1 ヒント1
イラストは上から、切手、くもの巣、山です。▶さらなるヒントは030へ

065　Q42 ヒント1
イラストはあるものを上から見た図です。▶さらなるヒントは088へ

066　Q29 ヒント1
床の色から、3つの景色の順番を推測しましょう。
▶さらなるヒントは109へ

067　Q2 ヒント1
矢印の方向にヒントから連想される2文字の言葉が入るよう、①②③④⑤を埋めていきます。
▶さらなるヒントは120へ

069　Q14 ヒント2
緑色の文字を読むと「ふたつをよめ (2つを読め)」。今度は、2つある文字を読みましょう。答えは3文字です。
▶さらなるヒントは005へ

070　Q43 ヒント2
5種類のマスには関連性のある文字が入ります。

071　Q51 ヒント1
イラストを言葉に変換しましょう。
▶さらなるヒントは124へ

072 Q12 ヒント3
暖かい場所=「ひだまり」、海で着る服=「みずぎ」です。それぞれの矢印との対応を考えてみてください。

073 Q19 ヒント1
イラストを言葉に変換してください。
▶さらなるヒントは033へ

074 Q44 ヒント1
①〜⑤には関連性のある文字が入ります。▶さらなるヒントは118へ

075 Q40 ヒント2
動物のイラストを漢字に変換してみましょう。

076 Q36 ヒント2
「く」を、ひらがなの「く」として、声に出して読んでみてください。

077 Q1 ヒント3
3つに共通してつけられるのは「動詞」です。

078 Q18 ヒント1
4つのイラストは、目、耳、舌、鼻です。それぞれの役割を考えてみてください。▶さらなるヒントは123へ

079 Q37 ヒント2
5時は、1日に2回訪れます。

080 Q50 ヒント2
「しじつ」の間に「ゅ」を入れると「しゅじゅつ」、「おどり」の間に「お」を入れると、「おおどおり」になります。他の2つの言葉の間に入れると別の言葉になる文字を考えてみてください。

081 Q34 ヒント2
下のピースは、盤面の左下に入ります。ピースが埋まったら、全体の文章からなくなったピースの言葉を推測しましょう。

082 Q35 ヒント1
線でつながれた数字には、同じ文字が入ります。▶さらなるヒントは009へ

083 Q20 ヒント1
数字のすぐ下にある図形は、マスではありません。▶さらなるヒントは111へ

084 Q52 ヒント1
「の」の前後に分数がありますが、前と後ろの分数が示すものは違います。
▶さらなるヒントは113へ

085 Q48 ヒント3
イラストは、ティーカップに入った紅茶を上から見たものです。それぞれどんな種類の紅茶でしょうか?

HINT 086 ▶ 099

086　Q16 ヒント1
200m走のコースはどんな形になるでしょう？▶さらなるヒントは044へ

087　Q33 ヒント1
1〜5の数字を何か別のものに変換します。「1」だけ赤いのがポイントです。
▶さらなるヒントは015へ

088　Q42 ヒント2
イラストはすべて食べ物です。
▶さらなるヒントは119へ

089　Q49 ヒント1
「123」が示すイラストは「サラダ」です。▶さらなるヒントは019へ

090　Q24 ヒント1
右に伸びる矢印は、時系列を示しています。▶さらなるヒントは049へ

091　Q46 ヒント3
例えば「車が3つ」を何と言うでしょうか？

092　Q51 ヒント3
それぞれ、前から読んでも後ろから読んでも同じ文章になっています。

093　Q11 ヒント3
台形の「ル」は、半分にすると「ノ」と「レ」に分かれます。

094　Q31 ヒント1
イコールの両端には同じ意味の言葉が、両矢印の先には反対の意味の言葉が入ります。
▶さらなるヒントは020へ

095　Q30 ヒント2
矢印と車の向きを見て、車がどのように動いたかを考えてみましょう。

096　Q7 ヒント3
赤枠には「ふきかえ」、青枠には「じまく」が入ります。①②③に対応する文字を順に読んだものが答えです。

097　Q37 ヒント1
時計は5時を示しています。
▶さらなるヒントは079へ

098　Q23 ヒント1
上の例で、途中にある1文字を、前後の言葉の1文字ずつと組み合わせて3文字にしてみましょう。例えば「ー」を、「りある」の「る」、「とびら」の「と」と組み合わせると、「るーと」になります。
▶さらなるヒントは057へ

099　Q8 ヒント1
8個の漢字をくまなく見てください。おかしなところがあるはずです。
▶さらなるヒントは122へ

100 Q24 ヒント3
上の5つの空欄には、左から「おととい」「きのう」「きょう」「あした」「あさって」が入ります。「きょう」を基準にすると、下の3つの空欄には何が入るでしょうか？

101 Q41 ヒント1
5つの黒丸、3つの赤丸に注目してください。▶さらなるヒントは022へ

102 Q22 ヒント2
言葉の伸ばし棒（ー）は、伸ばし棒以外の別のものに読めないでしょうか？
▶さらなるヒントは028へ

103 Q25 ヒント2
左の漢字を英語に変換して、右の漢字と比べてみてください。

104 Q9 ヒント1
「I」を、2つの言葉に変換してみましょう。▶さらなるヒントは004へ

105 Q21 ヒント1
数字が表すものは、時刻です。
▶さらなるヒントは018へ

106 Q14 ヒント1
「緑読め」という指示の通り、緑色の文字を読みます。
▶さらなるヒントは069へ

107 Q41 ヒント3
丸の数は全部で26個。黒丸には「B」「L」「A」「C」「K」、赤丸には「R」「E」「D」が入ります。

108 Q36 ヒント1
「く」は不等号に見えますが、不等号ではありません。
▶さらなるヒントは076へ

109 Q29 ヒント2
最初に見るのは、真ん中の景色です。つまり最初に通る赤い床は「R」です。

110 Q26 ヒント2
一番上にある右向きの矢印に入る言葉は「たいこ」です。

111 Q20 ヒント2
数字のすぐ下にある図形は、漢字です。
▶さらなるヒントは040へ

112 Q12 ヒント2
「暖かい場所」を示す4文字、「海で着る服」を示す3文字を考えましょう。
▶さらなるヒントは072へ

113 Q52 ヒント2
「の」の前の分数は、日付を表しています。▶さらなるヒントは010へ

114 Q21 ヒント3
一番下の数字(時刻)の間にある「ー」はマイナスではありません。

115 Q3 ヒント2
一番上のマスに入るのは「アップル」です。▶さらなるヒントは061へ

116 Q7 ヒント2
赤枠は話している言葉、青枠は表示されている文字のことを表しています。外国語の映画といえば……。
▶さらなるヒントは096へ

117 Q22 ヒント1
イラストをすべてかなに変換しましょう。▶さらなるヒントは102へ

118 Q44 ヒント2
①〜⑤にはアルファベットが入ります。

119 Q42 ヒント3
イラストは「おもち」を表しています。

120 Q2 ヒント2
オフの反対=「オン」、彼女の反対=「カレ」です。①②③④⑤が埋まったら、数字順に読みましょう。

121 Q12 ヒント1
同じ方向の矢印には、セットで1つの言葉が入ります。同じ方向の矢印は同じ文字です。▶さらなるヒントは112へ

122 Q8 ヒント2
1つは漢字の下のパーツに、もう1つは漢字の上のパーツに間違いがあります。

123 Q18 ヒント2
目の「し」は、「視覚」の頭文字です。

124 Q51 ヒント2
全部ひらがなにして、声に出して読んでみてください。
▶さらなるヒントは092へ

125 Q13 ヒント2
漢字を訓読みにしていきましょう。何か気づくことはないでしょうか？

126 Q15 ヒント1
音符が示す音階をカタカナで書いてみてください。
▶さらなるヒントは001へ

127 Q45 ヒント3
「キリギリス」には「リ」が2つ、「アシアト」には「ア」が2つ入っています。同じ色の「1」の数字の言葉にも、「リ」や「ア」が入っています。

128 Q30 ヒント1
マスには1つずつ文字が入ります。
▶さらなるヒントは095へ

エニグマくんLINE

docomo 14:28
99+ 【SCRA...ニグマくん

てほしいんだ。
新しい暗号が出たら、メッセージでこっそりおしえるから、よろしくね！
さっそくだけど、ぼく学校の宿題がぜんぜんとけないんだ。かわりにといてくれない？
とけたら、ここにこたえだけをかいてね。よろしくだよ！

あとね、なんと今ぼくの本ができたんでーす！すごいでしょ。
みんな読んでねー。
https://goo.gl/7yeVWK

謎専門出版社 SCRAP出版
14:26

にじからごじかんごとあう
14:26

便利メニュー

LINEで
エニグマくんと
友だちになると、
この本のような謎が
毎週送られてくるよ！

スマホで
LINEアプリを起動して、
［その他］タブの
［友だち追加］で
QRコードをスキャンします。

SCRAP　銀謎

2020年7月15日　初版第1刷発行

著者：SCRAP
発行人：加藤隆生
編集人：大塚正美

監修：加藤隆生（SCRAP）　安岡潤也（SCRAP）
パズル制作：青沼隼人　稲村祐汰　久留島隆史（SCRAP）
櫻井知得　たろー　西山 温　原 翔馬　藤沢潤平
キャラクターデザイン：榊原杏奈（SCRAP）
デザイン：鈴木 恵（細工場）
校閲：佐藤ひかり
協力：石川義昭　岩田雅也　笠倉洋一郎　永田史泰
営業：佐古田智仁（SCRAP）
宣伝：坪内秋帆（SCRAP）
担当編集：大塚正美（SCRAP）

発行所：SCRAP出版
〒151-0051　東京都渋谷区千駄ヶ谷5-20-4　株式会社SCRAP
tel. 03-5341-4570　fax. 03-5341-4916
e-mail. shuppan@scrapmagazine.com
URL. https://scrapshuppan.com

印刷・製本所：株式会社シナノパブリッシングプレス

　Printed in Japan ISBN978-4-909474-37-7

最後まで問題を解いてきたキミのために、最終問題を用意したよ！ まずはエニグマくんLINEで「銀謎ラスト」と送信しよう！

最終問題 メビウス迷路からの脱出

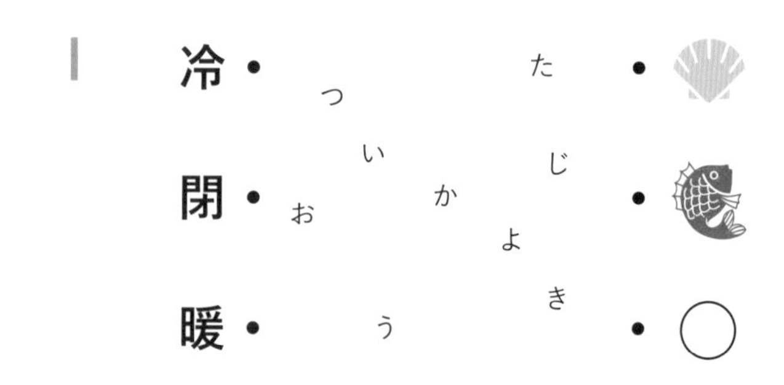

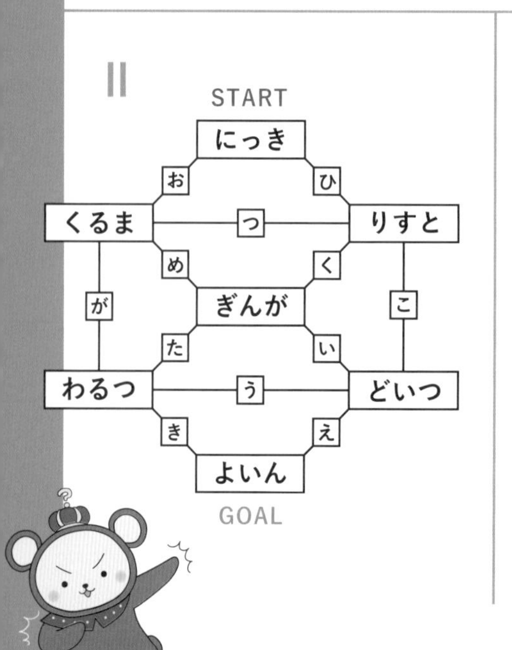

III

しじつ → ゅ

おどり → お

ふぶろ → ①

よぎち → ②

メビウス迷路

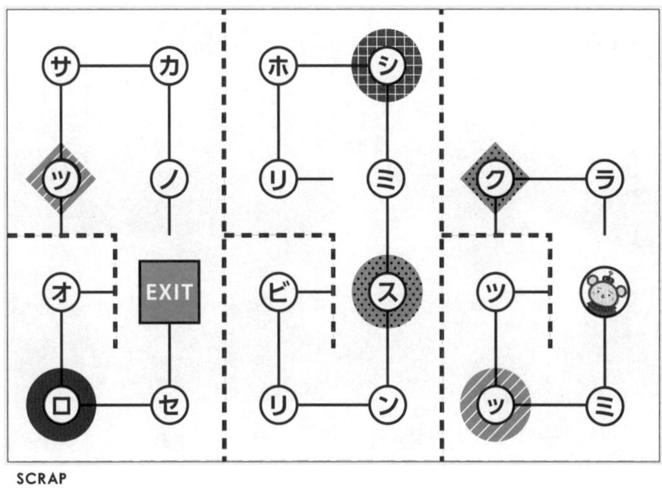

SCRAP